NHK
100分 de 名著 books

戦争は女の顔をしていない

У ВОЙНЫ НЕ ЖЕНСКОЕ ЛИЦО

Светлана Алексиевич
アレクシエーヴィチ

Numano Kyoko
沼野恭子

NHK出版

はじめに――人びとの声を紡ぐ

この本は、二〇二一年八月に放送されたNHKのテレビ番組「100分de名著」のテキスト「アレクシエーヴィチ『戦争は女の顔をしていない』」として口述筆記されたテキスト四つの章に、「特別章」と「読書案内」を書き加えて、全体を整えたものです。

スヴェトラーナ・アレクシエーヴィチは一九四八年、ソ連ウクライナ共和国で生まれました。父はベラルーシ人、母はウクライナ人です。生後間もなく、父の故郷であるベラルーシのミンスクに一家で移住し、一九七二年にベラルーシ国立大学ジャーナリズム学部を卒業。翌年から三年間、「農村新聞」[*1]紙で記者として働き、その後は「ニョーマン」[*2]誌に移ってルポルタージュ・評論部長を務めました。

『戦争は女の顔をしていない』の取材を始めたのは、この「ニョーマン」誌時代の一九七八年です。アレクシエーヴィチは、第二次世界大戦でソ連軍に従軍した女性たちのもとに足繁く通い、戦時中の過酷な経験、忘れ難い思い出、戦後の辛い体験やトラウマなどについて、じっくり耳を傾け、録音していきました。そして五百人にものぼる人びとの声を文字で再現し、紡いで、悲しみと苦しみに満ちた壮大な交響曲『戦争は女の顔をしていない』を織りあげたのです。

その後の作品も、いずれも膨大な証言を編集して構成するという同じ手法で書かれた〈証言文学〉です。二〇一五年にノーベル文学賞を受賞したときの理由がまさに、「多声的《ポリフォニック》[*3]な作品は、現代の苦しみと勇気にささげられた記念碑である」「入念に人間の声のコラージュを作るという独創的な創作方法を用いて、時代全体に対する私たちの理解を深めてくれる」というものでした。大部分が証言から成るノンフィクション作品にノーベル文学賞が与えられた前例はなかったので、アレクシエーヴィチの受賞は驚きをもって迎えられましたが、私は、「文学」そのものの定義が押し広げられた、画期的な出来事だったと考えています。

執筆言語は彼女自身の母語であるロシア語です。『戦争は女の顔をしていない』が単行本として出版されたのは一九八五年、ソ連のゴルバチョフ共産党書記長がペレストロイカ[*4]を始めた年に当たります。それまで従軍女性については、ごくわずかなことしか知られていなかったのですが、『戦争は女の顔をしていない』によって初めて、約百万人もいたと言われる元女性兵たちの実態に光が当てられました。ペレストロイカが追い風となって、この本はたいへん話題になり、一九八〇年代末までにロシア語の原著が二百万部も売れ、二十以上の外国語に訳されたそうです。

ソ連が崩壊した後、ベラルーシもウクライナも独立しますが、やがてベラルーシでは「反体制的」だという理由でアレクシエーヴィチの著作は出版できなくなり、二〇〇〇年以降、彼女は難を逃れてヨーロッパを転々としました。二〇一一年に帰国したものの、二〇二〇年八月の大統領選に端を発した民主化運動で、反体制派の政権委譲調整評議会の幹部に名を連ねたことから、現在は再び国外で活動せざるを得ない状況が続いています。

なおアレクシエーヴィチは、二〇〇〇年に初めて来日し、二〇〇三年、二〇一六年と計三回、日本を訪れて講演などを行っています。

「１００分de名著」の放送後、半年ほど経った二〇二二年二月二四日に、ロシアがウクライナへの軍事侵攻を始め、世界情勢は大きく変化しました。またしても名もなき人びとが戦争に巻きこまれ、家を破壊され、家族や友人を失い、耐え難い苦しみを味わっているなかで、第二次世界大戦の「集合的記憶」を提供しているアレクシエーヴィチの著作は、ますます現実味《アクチュアリティ》を帯びてきていると思います。こうした観点から、本書の特別章は、侵攻開始以降の状況とそれに対するアレクシエーヴィチの見解を記すことにしました。

本書の構成は以下のとおりです。

第1章は〈証言文学〉としての『戦争は女の顔をしていない』の特徴について、**第2章**は女性のナラティヴの特徴や女性たちが受けた差別について、**第3章**は人びとを翻弄したプロパガンダについて、**第4章**は著者アレクシエーヴィチがめざす〈感情の歴史〉について、そして**特別章**は現状に対するアレクシエーヴィチ自身の声をお伝えします。

アレクシエーヴィチの著作が持つ意義はいろいろありますが、まず挙げられるのが、風化していく戦争の記憶を後世に伝える役割でしょう。また『戦争は女の顔をしていない』の証言者は、為政者や高官といった「有名人」ではなく、何百人もの「市井の人びと」です。ふつうの人たちが戦争に巻き込まれてどんな経験をしたのか、どんなことを感じたのかを大事にしているところがとくに重要だと思います。

また、アレクシエーヴィチには、チェルノブイリ原発事故をめぐる証言を集めた『チェルノブイリの祈り』という作品があります。東京電力福島第一原発の事故を経験した私たち日本人にとって、他人事ではない題材であることは言うまでもありません。さらに彼女は、アフガニスタン戦争、ソ連崩壊をテーマとする作品を執筆し、旧ソ連地域やロシアに限定されない差別の問題、自由の問題、民主主義の問題を取り上げていきます。これらもすべて、現代人にとって「現在進行形」のきわめて大事な問題です。アレクシエーヴィチの作品は、どの国に住んでいるかにかかわらず、現代を生きるすべての人にとって普遍的な問題を映しだす鏡のようなものと言えるのではないでしょうか。

＊1　「農村新聞」
ベラルーシの主要な農業関連紙。首都ミンスクで一九二一年より発行。農業国ベラルーシでは、コルホーズ（集団農場）・ソフホーズ（国営農場）主体の農業がソ連解体後も継続。ライ麦をはじめとする麦類や亜麻、畜産品の生産量が多い。

＊2　「ニョーマン」
一九四五年にミンスクで創刊されたベラルーシ作家同盟の月刊文芸誌。六〇年に現在の誌名に。八四年に『戦争は女の顔をしていない』の一部がここに発表された。ニョーマンとは、ベラルーシからリトアニアに流れバルト海に注ぐ、ネマン川のベラルーシ語名。

＊3　多声的（ポリフォニック）
多声音楽（ポリフォニー）の形容詞形。多声音楽は単一の声部（旋律）からなるモノフォニーに対し、対等に独立した複数の声部からなる音楽を指す。文学においては、ロシアの文芸学者ミハイル・バフチンがドストエフスキーの小説を「ポリフォニー小説」と呼び、作者によるモノローグ的小説と対比して、複数の他者の意識と言葉が交錯する全体的な対話性を分析した。

＊4　ペレストロイカ
一九八五年以降、ミハイル・ゴルバチョフ共産党書記長が推進した改革政策。ロシア語で「建て直し、再編」を意味する。グラスノスチ（情報公開）と併せ、ソ連の民主化を推進した。

目次

※本書における『戦争は女の顔をしていない』からの引用は三浦みどり訳の岩波現代文庫版（二〇一六年）に、『チェルノブイリの祈り』からの引用は松本妙子訳『完全版チェルノブイリの祈り――未来の物語』岩波書店（二〇二一年）に、『セカンドハンドの時代』からの引用は松本妙子訳の岩波書店版（二〇一六年）に拠ります。引用文は右記の底本のものをそのまま示しています。

第1章——証言文学という「かたち」

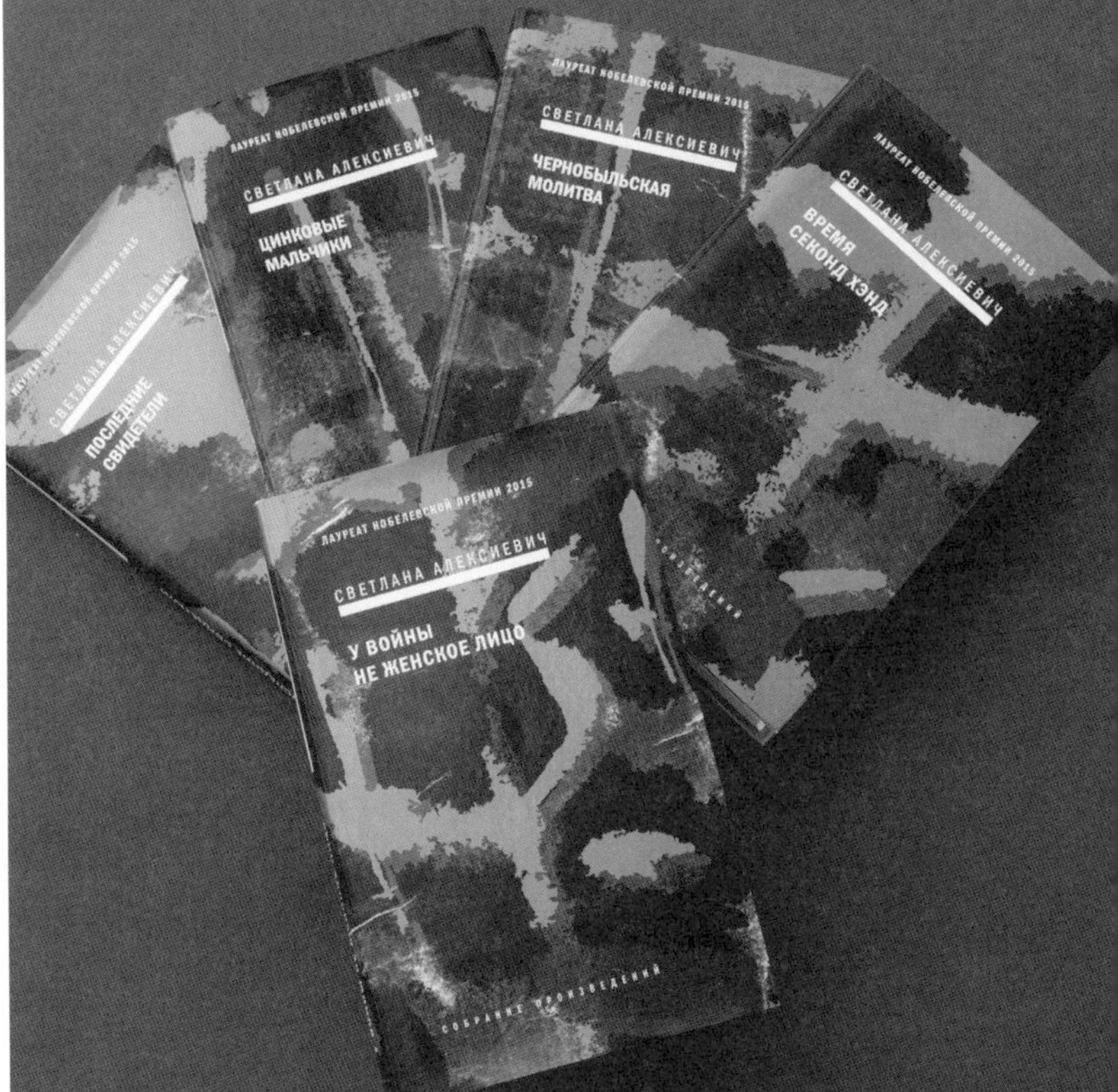

「これは女の仕事じゃない」

『戦争は女の顔をしていない』とはどんな作品なのでしょうか。この作品をまだ読んだことのない方にそれを感じていただくためにまず、少し長くなりますが、この本の最初に登場する証言者の言葉を読んでいただきたいと思います。彼女の名前は、マリヤ・モローゾワ。狙撃兵として従軍した女性です。

これはごく平凡な話。ロシアのどこにでもいたありふれた少女の話。私の村があったヂヤコフスコエは、今はモスクワのプロレタルスク地区なの。もうじき十八歳というときに戦争が始まった。膝まである長いお下げ髪。戦争が長引くなんて誰も信じていなかった。（中略）

女の子たちは言ったの、「前線に出なけりゃいけない」。そういう空気が満ちていた。みんなして徴兵司令部の講習に通った。（中略）実戦用のライフル銃の撃ち方や手榴弾の投げ方を習っていた。それまではライフル銃に手を触れるのも怖かったわ。いやだった。誰かを殺しに行くなんて想像もできなかった。ただ前線に行きたい、それだけ。（中略）

眼をつぶったまま銃を組み立て、解体できるようになり、風速、標的の動き、標的までの距離を判断し、隠れ場所を掘り、斥候の匍匐《ほふく》前進など何もかもできるようになった。一刻も早く戦線に出たい、とそればかり。（中略）

初めて「狩り」（狙撃部隊ではそう言ったの）に出たときのこと。（中略）私は撃つことに決めたの。そう決心した時、一瞬ひらめいた。「敵と言ったって人間だわ」と。両手が震え始めて、全身に悪寒が走った。恐怖のようなものが……。今でも、眠っているとき、ふとあの感覚がよみがえってくる……。ベニヤの標的は撃ったけど生きた人間を撃つのは難しかった。（中略）私は気を取り直して引き金を引いた。彼は両腕を振り上げて、倒れた。死んだかどうか分からない。そのあとは震えがずっと激しくなった。恐怖心にとらわれた。私は人間を殺したんだ。（中略）

これは女の仕事じゃない、憎んで、殺すなんて。

『戦争は女の顔をしていない』※

※引用は、スヴェトラーナ・アレクシエーヴィチ『戦争は女の顔をしていない』（三浦みどり訳、岩波現代文庫、二〇一六年）四五―五二ページ。以後、同書から引用する場合は、［戦争：四五―五二］のように記すこととする。

マリヤはこの後も戦場で戦い続け、後年の新聞記事によると「七十五人を殺害し狙撃兵として十一回表彰を受けた」と言います。

旧ソ連地域では、こうした「少女」といってもいいような年齢の女性が百万人近くも、第二次世界大戦（大祖国戦争）に従軍したと言われています。『戦争は女の顔をしていない』は、アレクシエーヴィチ自身が従軍経験のある女性たちをソ連各地に訪ね、時に言葉を失い、時に涙する彼女たちの話をていねいに聞き取ることによって生まれました。そして、私たちにとっては「ごく平凡な話」でも「ありふれた少女の話」でもないマリヤの証言が、「どこにでもいた」ソ連の少女たちが実際に経験した痛みや苦しみであることを、読み手に突きつけてくる作品です。

「ユートピアの声」五部作

アレクシエーヴィチは、現在までに六編の主たる作品を発表しています。一九八五年、最初に発表したのが、『戦争は女の顔をしていない』と、第二次世界大戦中に子供だった人の証言を集めた『最後の証人たち』（邦題『ボタン穴から見た戦争』。以下邦題で表記）の二作品です。その後、九一年にアフガニスタン戦争[*1]に焦点を当てた『亜鉛の少年たち』、九三年に『死に魅入られた人びと』、九七年にチェルノブイリ原発事故の遺族や被災者の声を集めた『チェルノブイリの祈り』、二〇一三年にソ連崩壊後の社会を描いた『セカンドハンドの時代』が出版されました。

このうち、四作目の『死に魅入られた人びと』は、その大部分が六作目の『セカンドハンドの時代』に組み込まれています。そのため、四作目を除いた五作品を「ユートピアの声」五部作と呼んでいます。

これらの作品はすべて、オーラル・ヒストリー[*2]に近い、多くの人びとの声を集めた「証言文学」です。ノーベル文学賞ではその手法が「独創的な創作方法」として評価されたと「はじめに」で述べましたが、これはいわば「文学の定義」が押し広げられたことを意味する、画期的な出来事でした。

証言文学という創作手法

タイトルである「戦争は女の顔をしていない」は、この作品の中の言葉ではありません。別の作家の作品のエピグラフに登場するフレーズで、アレクシエーヴィチは、そこから自身のデビュー作のタイトルを取ってきました。

戦争は女の顔をしていない。しかしこの戦争において、私たちの母たちの顔ほど大きく、厳しく、恐ろしく、そして素晴らしいものとして記憶されたものはない。
アレシ・アダモヴィチ『屋根の下の戦争』エピグラフ

このフレーズを書いたベラルーシの作家アレシ・アダモヴィチ[*3]は、アレクシエーヴィチが師と仰ぐ人物です。彼は、第二次世界大戦時、十五歳でパルチザン[*4]部隊に加わり、そのときの経験をもとに書いた小説『屋根の下の戦争』でデビューしました。代表作に『ハティニ物語[*5]』という中編小説があります。一九四三年、ナチス・ドイツ[*6]がベラルーシのハティニという村で起こした、残虐きわまりない虐殺事件を描いた作品です。

ベラルーシは、一九四一年から三年あまりの間、ナチス・ドイツの占領下にありました。その間、パルチザンが激しい抵抗運動を続けたため、その報復としてナチス・ドイツがハティニをはじめとする六百以上の村を焼き払いました。ベラルーシに行くと、焼かれて失われた村の記念碑が、今もあちこちに残されています。

アダモヴィチはほかの二人の作家とともに、この凄惨な経験を生き延びた数少ない村人の言葉を聞き取り、一九七五年に『燃える村から来た私[*7]』という証言集を発表しました。

そのころ新聞や雑誌に記事を書くジャーナリストだったアレクシエーヴィチは、自分が書きたいことをどういう形式で表現すればいいのか見つけられずにいました。しかし、『燃える村から来た私』を読んだとき、これこそ自分が探していた形式だ、とピンときたと言います。このとき、彼女は自分の「生きる道」を見つけたのではないでしょうか。

アダモヴィチから受け継いだ証言集という手法を用いて、アレクシエーヴィチは「ユートピアの声」五部作を書きました。聞き取り取材、録音、テープ起こし、証言の選択、構成という執筆のプロセスや形式は、すべてに共通するものです。

また、『燃える村から来た私』と『戦争は女の顔をしていない』は、どちらも第二次世界大戦の生存者の証言をドキュメンタリー文学として提示しています。ですからアレクシエーヴィチは、手法だけでなく、タイトル、さらに作品のテーマもアダモヴィチから受け継いだと言えるでしょう。

五百人を超える「声」の合唱

「ユートピアの声」五部作のテーマは、第二次世界大戦に始まり、アフガニスタン戦争、チェルノブイリ原発事故、ソ連崩壊と、時代を追って展開していきます。一つひとつがどれも非常に重い社会的なテーマであり、それはとりもなおさず、ソ連社会の歴史をたどったものとなっています。

それらを一連のものとして俯瞰《ふかん》したとき、共産主義*8とは、ソ連とはいったい何だったのかという問題を投げかける、一つの大きな絵巻物のような姿が見えてきます。共産主義というユートピアを目指した社会実験がどのような経過をたどり、終焉を迎え、人びとはそれをどのように受け止めたのか。五部作を通してつづられた証言者たちの声は、一つの渦のようになって響き渡ります。それをアレクシエーヴィチは合唱にたとえています。

五百人を越える人々への取材（中略）声だけが私の頭の中で響いている。頭の中で合唱している。巨大な合唱、その合唱のなかでは時として言葉が聞き取れず、嗚咽《おえつ》しかない。嘘《うそ》は言うまい、この道を進んでいけるという自信はなかった。

［戦争：四三］

証言文学では、地の文のところどころに証言が挟み込んである、という作品が珍しくありません。そうした作品では、著者自身の考えを伝える手段として証言が用いられています。しかし、アレクシエーヴィチの作品は逆と言っていいでしょう。この五部作は、証言の合間に挟まれるアレクシエーヴィチ自身の言葉が、ほかの証言文学に比べても、極端に少ないのです。「この人はこういう経歴の人だった」とか、「この証言について自分はこう思う」といった著者本人の説明や考えがほとんどなく、非常にストイックに証言がつづられていきます。

アレクシエーヴィチの手法の根底には、なるべく多くの人に会って自由に語ってもらうことが第一で、自分は余計な口を挟まなくてもいい、という思いがあるようです。著者の言葉は、出来事や苦しみを体験した人たちの重みのある証言に見合うものではない、と謙虚に考えているのです。しかも、デビュー作である『戦争は女の顔をしていない』では、まだそれなりに出来事の意味や自分の考えを書いているのですが、一作ごとに作者の登場する割合は減っていきます。

私は、二〇一八年にミンスクで彼女にインタビューをしたとき、そのことを尋ねてみました。「だんだん自分の声を消していっているのですか?」と。すると彼女は「声を消そうと思っているわけではないのだけれど、証言の重みに比べたら、自分の言葉は文学的ではない」と言うのです。それはつまり、証言の言葉、本当に苦しんだ人の言葉は気高くなり、それ自体が文学的になっていく、という意味だと思います。それに比べると、「この発言はこういう意味だ」と説明したり、「平和が大事だ」とお題目を唱えたりすることは、何か薄っぺらく、証言者の言葉に拮抗するものではない、ということなのでしょう。この考え方は、証言文学において、貴重で希有なものだと思います。

では、アレクシエーヴィチ自身が作品にまったく登場しないのかというと、そういうわけでもありません。彼女は、たとえばこんなふうに証言の中に姿を見せています。

ローラ・アフメートワ　二等兵（射撃手）

戦争で一番恐ろしいのは何かって？　あたしの答えを待ってるの？（中略）戦争で一番恐ろしかったのは、男物のパンツをはいていることだよ、これはいやだった。（中略）ポーランドの最初の村で新しい衣服が支給された……そして、初めて女物のパンツとブラジャーがもらえたんだ。戦中通して初めてだよ。ハハハ。分かるよね……あたしたち初めてあたりまえの女物の下着をもらったんだよ。

どうして笑わないのさ？　泣いているのかい？　どうして？

［戦争：一二四―一二五］

聞き手であるアレクシエーヴィチがどのような質問をしたのかということや、彼女が泣いていること、語り手に寄り添い、共感しながら話を聞いていることが伝わってきます。

また、『チェルノブイリの祈り』や『セカンドハンドの時代』では、アレクシエーヴィチ自身が、証言者の一人として登場します。彼女も原発事故やソ連崩壊を経験していますから、証人としての資格がある、ということなのでしょう。

証言文学は「生きている」

『戦争は女の顔をしていない』は、一九八五年に出版され、二〇〇四年に増補版が刊行されています。その増補は、ほかの作品では例を見ないほど大がかりなものです。後から加えられたのは、仲間を殺さなければならなかったという証言、ソ連軍の男がドイツの女性にしたこと、ドイツ人に捕えられた捕虜が戦後、ソ連に帰国してから国賊の扱いを受けて極寒の収容所に送られた事実。こうした内容は、ペレストロイカが始まったばかりの一九八五年の段階では、まだ書くことができなかったものでした。それが、二〇〇四年版ではかなり加筆されています（ちなみに、日本語訳はこの増補版を底本として二〇〇八年に群像社より刊行されました）。

このことから、二つのことがわかります。第一に、ペレストロイカのおかげで、以前は話せなかったことを人びとが語り出したり、語り直したりし始めたということ。第二に、検閲によって削除させられたり、作者自身が自己検閲で削除したりした部分が、かなりあったということです。

また、この「増補」という行為自体に、証言文学に対するアレクシエーヴィチの考え方が表れているとも言えるでしょう。彼女は、証言文学を「生きている文学」だと言います。それは、常に加筆修正する可能性を持っている、ということを意味します。また、人の証言自体も、確定した事実ではなく「生き物」だと捉えています。

二〇一八年のインタビューでは、私にこんな話をしてくれました。ペレストロイカがあり、一九九一年の八月革命[*9]があり、共産主義者が権力の座から去って新しい政権になったわけですが、それから数年経ったころから、自分たちの社会は自由になった、生きたいように生きていいのだ、という雰囲気を感じるようになったそうです。やがて彼女のもとに、「前に話したことは、じつは半分だけだった」「ぜんぜん言い足りなかった」といった電話や手紙が次々と寄せられるようになった。あらためて話を聞くと、多くの人が証言を補足し、その追加情報があまりに力強かったので、「前の作品をそのままにしておくことはできなかった」とのことです。そのままにしておいたら、あまりにも真実から遠いものになる、と。

一般的に、フィクションの作品が出版された後、作者がその内容を大幅に変えたり、加筆したりすることはあまりありません。出版された時点でその作品は「完成品」となって作者の手を離れると見なされるものです。もちろん、井伏鱒二が短編「山椒魚」に何度も手を入れ、かなり大幅な「修正」をしたことは有名ですし、このような例はほかにもあるでしょう。

アレクシエーヴィチ自身はというと、自分の作品を一つの自立した世界を持つ文学作品だと捉えているので、新しい証言が得られたからといって、いつでも更新していいと考えているわけではありません。作品の流れや構成にはとても気を遣っていますから、簡単に情報を補充・補塡するだけのための加筆はしないでしょう。でも、ペレストロイカという大きな時代の変化があり、次第に言論の自由が広がっていくにつれ、かつて証言してくれた何十人もの人が自ら発言を訂正したり、もっと自由に話したがったりしたために、証言としての価値を考えて加筆しないわけにいかなかったのだと思います。『戦争は女の顔をしていない』は、ペレストロイカという絶好のタイミングに生まれ、言論の自由が獲得されていくプロセスとともに「成長」した作品ということになるでしょう。そして読者は、アレクシエーヴィチという優れた聞き手の存在を通して、徐々に集合的記憶が作り上げられていく現場に立ち会うことになったのです。

証言が響き合い、浄化し合う

人の記憶とは、あいまいなものです。だれかに聞いた話を自分のことだと思い込んでしまったり、過去を美化していたりすることもあります。アレクシエーヴィチ自身も、証言者が話を誇張したり美化したりしている可能性があることをよく理解しています。それに対する彼女の考え方が序文「人間は戦争よりずっと大きい」に記されています。

一度ならずわたしは警告された（ことに男性の作家たちから）。「女たちは、あんたにいろんな作り話をするぜ。好きなように作り事を話して聞かせるよ」だが、あんなことを空想でつくりだせるものだろうか？　だれかが書いたことを書き写すなんて？　人が生きているというそのことが作り出したこと、それを書き取ったのだとしかいいようがない。
［戦争：一三］

たとえ一つひとつの証言に嘘や偽りがあっても、それらがたくさん集まることで、互いに是正され浄化される、というのが彼女の考えです。いろいろな人のさまざまな証言が、響き合い、浄化し合い、作品の大きな輪郭を作っていく。そうした考え方もまた、アレクシエーヴィチの証言文学の特徴であり、興味深いところでもあります。

私は彼女に「フィクションを書こうと思ったことはありますか？」と尋ねてみたこともあるのですが、「ありません」と即答されました。自分が選んだ方式のほうが「フィクションより力強く、凝縮され」「素材の濃度も高く、はるかに真実に迫る」というのが、その理由です。

そして、自分自身を「耳の作家」だと見なしています。何かを見て描写する作家ではなく、人の声を「耳で」聞き取って作品にしていく。書き言葉の作家ではなく話し言葉の作家なのだ、と。アレクシエーヴィチは、語りの内容を書き留めるだけではなく、話し方、語りの抑揚、沈黙や言いよどみ、怒りや悲しみといった語り手の感情を一緒に記述しています。証言者を訪ね歩き、人が話す言葉を集めていくアレクシエーヴィチの手法からして、「現代の口承文学[*10]」と呼んでもいいかもしれません。

「小さな人間」の声を拾い集めて

『戦争は女の顔をしていない』をはじめとする五部作の証言者に、有名な政治家や軍人はいません。ほとんどすべて市井の人びとです。その人たちをアレクシエーヴィチは「小さな人間」「ちっぽけな人間」と表現しています。

わたしは理解した、大きな思想にはちっぽけな人間が必要なので、大きな人間はいらない。思想にとっては大きな人間というものは余計で、不便なのだ。手がかかりすぎる。わたしは逆にそういう人間を捜している。大きな内容を秘めたちっぽけな人たちを捜している。虐げられ、踏みつけにされ、侮辱された人たち――

［戦争：一九―二〇］

アレクシエーヴィチの言う「小さな人間」や「ちっぽけな人間」は、ロシア文学に親しんでいる人ならピンとくるキャラクターです。日本語で言う「小市民」とは少しイメージが違い、社会の中でだれの注意も引かず、だれからも認められず、不当に虐げられ、社会の片隅でひっそり生きている人を指します。プーシキン[*11]の『駅長』[*12]の主人公サムソン・ヴィリン、ゴーゴリ[*13]の『外套』[*14]の主人公アカーキイ・バシマチキン、そしてドストエフスキー[*15]の『貧しき人々』[*16]のマカール・ジェーヴシキンもそうです。その意味では、アレクシエーヴィチの文学は、独創的な形式を持ちつつも、内容的にはロシア文学の伝統に根差していると言えそうです。

数々の作品に登場する「小さな人間」を見ていくと、それぞれ抱えている問題はさまざまですが、どの人も、恵まれない境遇に身を置き、虐げられ、侮辱されているだけでなく、それまで持っていたもの、手にしたものを奪われ、失い、大きな喪失感に苦しんでいるという共通点があることがわかります。そして、アレクシエーヴィチが「小さな人間」と言うときも、この喪失感のニュアンスが含まれているのではないかと思います。

彼女の証言者たちは一様に、愛する人や家族やよりどころとしていたイデオロギーを失ったり、信じていた神話に裏切られたりして、計り知れないほど大きな喪失感を抱えています。証言者たちは、現代における何百何千ものサムソン・ヴィリン、アカーキイ・バシマチキン、マカール・ジェーヴシキンなのです。

アレクシエーヴィチは、七〇年代から「小さな人間」の中に喪失感を見ていましたが、一九九一年のソ連崩壊によって、ますますその感触を強めていったのではないでしょうか。よりどころとなるイデオロギーを失った人もいますし、年金などの経済的な支えを絶たれた人もいます。じつに多くの人が、さまざまなものを失いました。それまでの社会主義の呪縛が突然緩んで、「小さな人間」たちは心のバランスを失い、そのうえ弱肉強食の競争社会に適応できず、ぽっかり穴の空いたような空虚で過酷な時代に放り出されたのです。アレクシエーヴィチの五部作を締めくくる『セカンドハンドの時代』は、まさにこうした空虚感と喪失感にさいなまれた「小さな人間」の声の集積と言っていいでしょう。

「小さな人間」の声を拾い集め、配置し、流れを作ることが、作者としてのアレクシエーヴィチの作業でした。ただ、その声は、最初から完成された形で存在しているわけではありません。アレクシエーヴィチが相手との信頼関係を結び、親密な雰囲気の中でさまざまな質問をして、あいまいになってしまった過去の感情に言葉を与える手助けをしたからこそ、生まれた声だったただろうと思います。ですから、アレクシエーヴィチの作品は、著者と証言者による、非常にクリエイティブな共同作業によって作り上げられたのだと私は考えています。

多声性によって描かれる輪郭

集められた多くの「小さな人間」たちの声が響き合って一つの作品になる。その多声性は、アレクシエーヴィチの五部作を貫く大きな特徴です。

彼女は、たくさんの人に当たり、同じ人に何度も証言を取りに行ったり、これという話が聞けるまで何時間も粘ったりしています。その声は、バラバラで互いに矛盾していたり、論理的でなかったり、言葉にならない慟哭だったりします。それらをすべて合わせて、彼女は作品を作り上げました。長い証言のどの部分をどこにはめ込むかといった編集は、彼女の腕の見せどころでもありました。その過程を、アレクシエーヴィチ自身は、作曲にたとえています。

一つひとつの声は音の素材であり、それを集めて構成し、交響曲を作曲していく。その曲は、必ずしも美しいハーモニーだけが鳴り響いているわけではありません。不協和音も聞こえてきます。しかし、その響き合いによって、大きな一つの作品としての輪郭が浮かび上がってくるのです。

「ユートピアの声」五部作は、アレクシエーヴィチが、多声性によって、社会主義とは何だったのか、ソ連とは何だったのかという実像の輪郭を見事に描き出した作品群なのです。

「大文字の歴史」が取りこぼしてきたもの

『戦争は女の顔をしていない』は、「小さな人間」という「個」の声が響き合う、交響曲のような作品であり、「男性の言葉」で語られてきた戦争を「女性の語り」によって解体した作品でもありました。

理想の社会主義社会、「赤いユートピア」を建築しようとしたソ連では、そのイデオロギーに沿った歴史が、いわば「大文字の歴史」として残されました。それは、必然的に集団主義的であり、全体主義的社会に陥ってしまう歴史でもあります。

一方、女性の語りは、非論理的だとか、非合理的だとかいった言葉で不当におとしめられ、ステレオタイプ的に「生活密着型の単なるおしゃべり」「男性の言説に比べて下に位置する」と見なされてきたきらいがあります。しかし、アレクシエーヴィチはその女性の語りに光を当て、価値を見出し、「大文字の歴史」が取りこぼしてきたものをすくい上げてきたのです。

男の言葉による戦争と、女性の語り。その対比が鮮やかに表れている証言がありま す。アナスタシヤ・ジャルデツカヤ（上等兵・衛生指導員）の証言です。

戦場で結婚したアナスタシヤは、白い包帯でウェディングドレスを作ったときのことを、こんなふうに細かいところまで記憶しています。

一晩かかって包帯のガーゼで花嫁衣装を縫い上げたことを。包帯は仲間の女の子たちと一緒に一ヶ月前から少しずつ集めておいた宝物。それで本格的な花嫁衣装ができたの。写真が残っているわ。ドレスに軍用長靴。憶えているわ。パイロット帽の古いのを細工してベルトにしたの。すばらしいサッシュだったわ。［戦争：三五二］

一方で、その結婚相手である夫は、アレクシエーヴィチの聞き取りに備えて、妻に事前に「男性の言葉」の戦争を教えていました。

夫は「恋愛のことは一言も言うな、戦争のことを話すんだぞ」って言いつけて行ったのに。夫はきびしいの。地図を出して教え込んでいったわ、どこに何ていう戦線があったか二日がかりで教えてくれた……どこに味方の軍がいたとか……いま、メモを見るわね、彼に言われたことを書いたのよ……読むわね。あら、何を笑っているの？　あなた、なんていい笑い方なの？　あたしを歴史家にしようなんて無理よね。包帯で作ったドレスを着ている写真を見せるほうがあってるわ。［戦争：三五二］

夫との「恋愛のことを話すのが好き」だという妻に、夫は二日もかけて「戦争のこと」を教え込み、妻はそのメモを読み上げようとしている。なんだか微笑ましくて、アレクシエーヴィチもつい笑ってしまったのでしょう。ここでは結局、「戦争のこと」は一言も出てきません。

女性の語りの価値を、より明確に言葉にしている証言者がいます。この本では数少ない男性の証言者、サウル・ゲンリホヴィチです。サウル自身も従軍経験があり（歩兵・軍曹）、妻のオリガ・ワシーリエヴナ（海軍一等兵）の証言に同席していました。オリガは、「わが家にはふたつの戦争が同居してるのよ」という言葉でアレクシエーヴィチを自宅に迎え入れ、サウルも「私たちの戦争はふたつあるんだ。それは間違いない」とその言葉を肯定します。サウルは「ふたつの戦争」の違いをこんなふうに語ります。

妻があなたに話していたようなことが私にも何かあったが、しかし、私はそれを憶えていない。私の記憶に引っかからなかったんだ。そんなことはつまらないことに思えた。くだらないことだと。
［戦争：一六二］

私のはもっと具体的な戦争の知識だ。彼女のは気持ちだ。気持ちの方がいつだってこういうことがあったという知識よりもっと強烈だ。
［戦争：一六二］

恋やおしゃれ。記憶に引っかからなかった、つまらない、くだらないこと、気持ち。そうした小さなこと、ディテールをアレクシエーヴィチは掘り起こしていきます。ディテールにこそ魂が宿り、物語があります。それこそが文学なのです。

アレクシエーヴィチは、過去の出来事を、一人ひとりの個人の「生」という視点で書いていています。かけがえのない一回限りの生は、唯一、大文字のイデオロギーに対峙し、それを解体していくことができるものです。男性原理、男の言葉に支配された大文字の戦争を、個としての女性の語りで解体したのが、『戦争は女の顔をしていない』という作品なのです。

＊1　アフガニスタン戦争
アフガニスタンでは近現代に複数の戦争が起きているが、ここでは一九七九～八九年のソ連による軍事介入を指す。七八年に成立したアフガニスタン人民民主党による社会主義政権に反発し、ムジャヒディーンと呼ばれるイスラム武装勢力が蜂起。親ソ政権樹立を目論むソ連軍はこの内紛に介入した。アメリカなどの支援を受けた武装勢力との戦闘は激化・長期化し、ソ連軍は多大な犠牲者を出した。

＊2　オーラル・ヒストリー
文献資料のみでは確定できない歴史的事実を、関係者への「聞き書き」により記録する歴史学の手法。社会学におけるライフ・ヒストリー（生活史）や、人類学のフィールドワークから転用され発展。当初は副次的な研究とされたが、二十世紀前半フランスのアナール学派以来、複数の人の多様な記憶を可視化することで、単一化された実証的歴史研究に対する批判的潮流としても成果を上げ、近年ではより積極的な意味を与えられている。

＊3　アレシ・アダモヴィチ
一九二七～九四。ソ連の作家・批評家。白ロシア（ベラルーシ）、ミンスク州の村に医師の父と薬剤師の母のもとに生まれる。第二次世界大戦中はパルチザンの少年兵となり、戦後、ベラルーシ国立大学で文学、モスクワで映画脚本を学ぶ。本文中の作品のほか、大戦中のレニングラード包囲戦を市民の証言でつづった『封鎖の書』（ダニール・グラーニンとの共著、七七～八一年発表・八二年刊、日本語訳『ドキュメント　封鎖・飢餓・人間』上・下、八六年刊）など。

＊4　パルチザン
一般民衆により組織され、占領軍への抵抗運動などを行う非正規軍の部隊、またその構成員。遊撃隊とも呼ばれ、ゲリラとほぼ同義に使われることもある。

＊5　『ハティニ物語』

一九七二年刊、アダモヴィチの中編小説。作者がエレム・クリモフ監督とともに脚本を担当した映画『炎628』（原題『来たれ、そして見よ』、八五年）はこれを原作としている。パルチザン部隊に入った少年が家族を皆殺しにされ、ほかの村では住民たちが生きたまま納屋で焼き殺されるのを目撃する。映画邦題中の「628」はドイツ軍による虐殺の犠牲となった村の数。

＊6　ナチス・ドイツ

アドルフ・ヒトラー率いる国家社会主義ドイツ労働者党（ナチス）政権下の、一九三三〜四五年のドイツを指す。第二次世界大戦中の四一年六月、ソ連に侵攻。独ソはレニングラード包囲戦やスターリングラード攻防戦をはじめ、各地で激しい戦闘を繰り広げた。

＊7　『燃える村から来た私』

一九七五年刊のノンフィクション。アダモヴィチとヤンカ・ブルィリ、ウラジーミル・コレスニクの共著。ベラルーシ全土でドイツ軍による虐殺の生存者の証言を集めた。

＊8　共産主義

コミュニズム。一般的には、私有財産を否定し、生産手段・生産物などの財産を共同体または社会の所有にして、平等な社会の実現を目指す思想。マルクスは、プロレタリア革命による低次段階（ロシア革命後、レーニンはそれを社会主義と呼んだ）では生産手段を国家に集中し、「各人が能力に応じて労働し、各人の労働に応じて分配される」が、高次段階（共産主義社会）では人間が疎外から解放され、廃絶された国家に代わる高度な自主管理のもと、「各人の必要に応じて分配される」理想の協同社会が実現するとした。ちなみにアレクシエーヴィチは、「共産主義」を「新しい世界についてのボリシェヴィキ（ロシア社会民主労働党左派）の理念、夢」、「社会主義」はその初期段階を指すという立場をとっており、崩壊したソ連の社会主義をドイツほか西欧における中道左派政党の掲げる社会主義とは区別している。

＊9　八月革命

一九九一年八月十九日、翌日に控えた新連邦条約締結により、ソ連を構成する十五の共和国の権限を強化しようとしたゴルバチョフ・ソ連大統領に反対する保守派グループが、ゴルバチョフを軟禁し、クーデターを起こした。しかしロシア共和国大統領エリツィンら改革派と、ストライキやデモによる市民たちの抵抗により失敗、かえってソ連の崩壊を招いた。これを一九一七年の二月革命や十月革命になぞらえて八月革命と呼ぶ場合がある。

＊10　口承文学

文字によって記された文学の発生以前より、語りや歌によって民間に伝え残されてきた文学。口承文芸とも。神話や叙事詩、民話などが代表的で、その地域や民衆の歴史・文化を色濃く反映している。

＊11　アレクサンドル・プーシキン

一七九九～一八三七。ロシアの詩人・作家。地主貴族の子としてモスクワに生まれた。その作品はロシア近代文学の嚆矢とされ、最初の国民詩人と呼ばれる。決闘により三十七歳の若さで死亡。長編詩『コーカサスの虜』、韻文小説『エヴゲーニイ・オネーギン』『スペードの女王』、戯曲『ボリス・ゴドゥノフ』など。

＊12『駅長』

プーシキンの散文による短編小説集『ベールキン物語』（一八三〇年）の一編。最下級の十四等官である地方の駅長サムソン・ヴィリンが、働き者の一人娘を軽騎兵に誘惑され、都会に連れ去られる話。娘を取り戻そうとペテルブルクに行った彼は、裕福な暮らしに染まり、美しく着飾った娘の姿を見て諦め、酒浸りの孤独な余生を送る。

＊13　ニコライ・ゴーゴリ

一八〇九～五二。ウクライナ生まれの作家・劇作家。ロシア語で執筆。高等中学時代から絵画や文学、演劇に熱中し、一時は俳優を志すも失敗。プーシキンらの知遇を得る。風刺的な笑いとグロテスクな幻想を特徴とし、大都市ペテルブルクの下層民、小役人らの生活を、哀感を込めて描いた。小説『狂人日記』『鼻』『外套』『死せる魂』、戯曲『検察官』など。

＊14　『外套』

一八四二年刊、ゴーゴリ後期の短編小説。貧しく真面目な九等官のアカーキイ・（アカーキエヴィチ・）バシマチキンは役所でいじめられている。彼は節約に節約を重ねようやく新調した大切な外套を、初めて着た日の晩に追剝に奪われてしまう。勇気を出して有力者の役人に訴えても報われず、病気になってあっけなく死んでしまった。それから夜な夜な役人の幽霊が現れては、道行く人の外套を剝いでまわる。はたしてそれはアカーキイなのか……。

＊15　フョードル・ドストエフスキー

一八二一〜八一。ロシアの作家。モスクワに医師の次男として生まれる。四九年、社会主義サークルの一員として逮捕され、銃殺刑直前に恩赦が下り、シベリア流刑となる体験をする。農奴制から資本制への過渡期のロシア社会を背景に、独自の「魂のリアリズム」を追求、後の世界文学に深い影響を与える。『罪と罰』『白痴』『悪霊』『未成年』『カラマーゾフの兄弟』は、五大長編と呼ばれる。

＊16　『貧しき人々』

一八四六年刊、「新しいゴーゴリ」と激賞された、ドストエフスキーのデビュー長編小説。書簡体形式をとる。中年のしがない九等官で人にばかにされているマカール・ジェーヴシキンは、独り暮らしの貧しい少女ワーレンカと手紙を交換して愛情を注ぎ、なんとか彼女の窮状を救おうとしていた。しかし結局、事態を打開することはできず、ワーレンカが金持ちに嫁いでいくのを見守るしかなかった……。

アレクシエーヴィチの「三つの家」——ロシア、ベラルーシ、ウクライナ

◆ロシア連邦　首都：モスクワ　人口：1 億 4,645 万人（2023 年 1 月現在）

1917年、世界初の社会主義国としてソヴィエト・ロシア共和国が誕生、22年にソ連が成立して以降、連邦内で最大の国として指導的な役割を担う。第二次世界大戦ではナチス・ドイツを相手に苦戦ののち勝利。戦後の冷戦体制下では東側陣営の盟主として君臨したソ連だが、91年末には消滅。ロシア連邦発足後共産党による一党独裁は放棄されたが、2000年以降はプーチン大統領による強権政治が行われている。2022年2月、ウクライナに侵攻。

◆ベラルーシ共和国　首都：ミンスク　人口：926 万人（2022 年 1 月現在）

ロシアとポーランドの狭間に位置し歴史的に両国家による争奪対象だった。1943年3月22日、ハティニ村でナチス・ドイツによる虐殺事件が発生、住民149人が惨殺される。86年の「チェルノブイリ（チョルノービリ）原発事故」では国土の23%が汚染された。91年ソ連から独立。94年の初当選以降、ルカシェンコ大統領が長期にわたり政権を独占。反欧米路線を敷き、民主化運動への弾圧を続けている。

◆ウクライナ　首都:キーウ　人口: 4,159 万人（クリミアの人口を含まない。2021 年現在）

肥沃な穀倉地帯を有するが、1930年代には中央政府による農業集団化の影響で大飢饉に見舞われ、数百万人が命を落とした。第二次世界大戦中は独ソ戦の主戦場に。1986年4月26日、キーウ州のチョルノービリ（チェルノブイリ）原子力発電所で爆発事故が発生、ヨーロッパほか周辺諸国に放射性物質が拡散する。91年ソ連から独立するも、2014年ロシア連邦がクリミア半島を制圧し実効支配し、2022年2月にロシアより侵攻され、戦争状態が続いている。

※各国の人口は外務省ウェブサイトを参照した（2024 年 5 月現在）。
※地図では、内陸部の河川、湖沼は省略。

第2章——ジェンダーと戦争

「兄弟姉妹たちよ!」の呼びかけに応えて

先に述べたとおり、第二次世界大戦中、旧ソ連地域では、百万人近くもの女性が従軍したわけですが、出征時の年齢は十五歳から三十歳くらいでした。独ソ戦が始まった一九四一年六月、国家防衛委員会指令[*1]によって女性の動員が可能になり、翌四二年だけで、三回の大がかりな女性の動員が行われたと言われています。

『戦争は女の顔をしていない』では、さまざまな証言から、自ら志願して入隊した若い女性の姿が浮かび上がってきます。門前払いされても徴兵司令部に通い続け、ようやく入隊を認められたとか、銃後の軍務はいやで前線に行きたいと訴えたなどという証言が、いくつも記されています。第二次世界大戦中、ここまで多くの女性が志願して従軍し、最前線で戦闘に参加した国は、ほかにないでしょう。

なぜそれほど多くの女性が戦場に向かったのか。その理由は「祖国を守りたい」という、非常に純粋なものだったようです。そのころ、すでに多くの男性が戦場に行き、社会では、男性が担っていた仕事や役割を女性が引き受けるようになっていました。しかし、血で血を洗うと言われた戦闘でたくさんの犠牲者が出て、ソ連は次第に兵士が不足する事態に陥ります。

エレーナ・クチナ　二等兵（運転手）

スターリンがやっと口を開いたら、国民に対してこういう言葉で呼びかけたの。「兄弟姉妹たちよ！」これでみなコロッとそれまでのくやしさを忘れてしまった。

［戦争・六六］

この「兄弟姉妹たちよ！」とは、一九四一年七月三日にスターリン＊2がラジオで国民に呼びかけ、同日付の共産党機関紙「プラウダ」＊3に掲載された有名なアピールです。この中でスターリンは、戦況が厳しく、敵に占領された地域があること、爆撃されている都市があることを公式に認めます。そして「われらが祖国に深刻な危機が迫っている」と、国民に軍への志願を呼びかけたのです。

このときスターリンは、「ソヴィエト国家の生と死がかかっている」と訴えると同時に、ソ連に対する脅威と戦うことは、ドイツのファシズムの軛《くびき》にあえいでいるヨーロッパ諸国を救うことにもなる、とも言っています。このスターリンのアピールは、「兄弟たち」のみならず「姉妹たち」にも向けられ、男女の区別なく、すべてのソヴィエト市民に「ファシストという絶対悪から祖国を守り、ひいてはヨーロッパの盾になろう」という大義名分を示すものでした。この大義名分にはとても大きな効果があり、これを機に戦争は「大祖国戦争」と呼ばれるようになります。

銃を手に最前線で戦った女性たち

『戦争は女の顔をしていない』を読み進めると、戦場で女性が就いていた職責と階級が、多岐にわたっていることに驚かされます。

職責の例を挙げると、狙撃兵、飛行士、高射砲兵、機関銃兵、爆撃手、斥候、軍医、看護師、衛生指導員、航空整備士、電話交換手、料理係、洗濯係、理容師など。最前線から調理場まで、戦場のありとあらゆる場所に女性がいたことがわかります。

中でも、武器を持って前線で戦った女性の多さが目を引きます。

クラウヂヤ・クローヒナ　上級軍曹（狙撃兵）

私たちの斥候がドイツ軍の将校を捕まえた。将校は部下がたくさん殺されて、全員が頭を打《ママ》ち抜かれていることに仰天していた。ほとんど同じ場所。並大抵の射手ではこんな命中率はありえない、って。それで頼んだの。「私の兵士をこんなに次々に倒してしまう名射撃手に会わせてくれ。大勢の補充人員が送りこまれたのに毎日のように十名もやられている」と。連隊長は答えた。「それは狙撃兵の女の子だが、残念ながら会わせることはできない。戦死した」と。それはサーシャ・シュリャホーワだった。彼女は敵の狙撃兵との一騎打ち《ママ》で倒れたの。赤いマフラーが災いした。赤いマフラーがお気に入りだった。でも赤いマフラーは雪の上で目立って、敵に見つかってしまった。

［戦争：五四―五五］

証言に出てくる狙撃の名手サーシャはクラヴヂヤの相方であり、生き残ったクラヴヂヤは七十五人のドイツ兵を殺したことがこののちに語られます。女性兵士が戦ったのは地上だけではありません。

アレクサンドラ・ポポーワ　親衛隊中尉（爆撃手）

爆撃目標地点の上空では全身震えていました。下から撃ってくるんですもの。戦闘機は撃ってくる、高射砲にも狙われる……連隊を辞めるしかなくなった女の子たちもいました。主として出撃は夜でした。昼間も試みたことがありましたがすぐに中止しました。Po－2型機は自動小銃で地上から狙われるんです。

［戦争：二九六］

志願して前線に立つ若い女性の姿は、現代の日本で生きる私たちには、なかなか想像がつきません。それは、前線にいた当時のソ連の男性たちにとっても同じだったようです。

スタニスラワ・ヴォルコワ　少尉（工兵小隊長）

そして、第五突撃隊の本部に行きました。そこの指揮官はとてもきちんとした人で、ていねいに迎えてくれましたが、「前線に出る小隊長として来た」と聞くなり、頭を抱えました。「だめだ、だめだ！　何を言ってるんだ？　この本部でほかの仕事を見つけてあげよう。冗談じゃない。男ばっかりの現場だ。そこに女の隊長なんて狂気の沙汰だ、とんでもない！」（中略）全員がただちに、不満の大声をあげました。つばをペッと吐いた人もいます。

［戦争：三一七―三一八］

前線に出て戦いたいという女性の意思と、実際の戦場にいる男性の気持ちとの間には、大きなギャップがありました。その背景には、女性に良妻賢母であることを求める社会的規範があります。

革命後のロシア社会では、法的には男女平等が保障されていました。でも、それはあくまでも建前にすぎず、実社会における女性の地位は低いままでした。重要度が低い問題とされてはいたものの、当初は女性の地位向上を求める「女性問題」が議論されていました。しかし、一九二四年にレーニン[*4]が亡くなり、スターリン時代になると、引き締めが厳しくなります。二十世紀初頭は、アヴァンギャルド[*5]の隆盛に見られるように、自由な雰囲気が漂い、活気にあふれていた時代でしたが、スターリンは、その時代の空気に逆行する形で、粛清や管理の強化[*6]により社会全体を保守化させていきました。その結果、女性問題は「解決済み」とされ、議論すること自体が困難になります。堕胎は禁止され、「女性は良妻賢母とならなければならない、女らしくなければならない」という母性を称揚する家父長的社会規範が強まっていったのです。

こうした社会規範は、革命前からある古い因習的なもので、人びとの意識に根深く残っていました。スターリンによる保守化は、そうした意識を掘り起こし、女性に要求される役割は、次第にステレオタイプな良妻賢母像へと集約されていきます。それはある意味で、戦時に向けて都合のいいものでもありました。

勇敢な兵士と良妻賢母、二つの顔

戦場の女性たちは、兵士として十分な働きをするために、男性以上の苦労をします。

そうでなければ、「女に何ができるんだ」とばかにしている男性に認めてもらうことができないからです。

マリヤ・カリベルダ　軍曹（通信兵）

私たち努力したわ……「やっぱり女は」と言われたくなかった。男たちよりもっと頑張った。男に劣らないことを証明しなければならなかった。「ちょいと戦ったら逃げ出すさ」と長いことばかにされていました。

［戦争：三〇二—三〇三］

ガリーナ・ドゥボヴィク　スターリン第一二近衛パルチザン旅団

私は機関銃を肩に担いでいました。絶対、重たいとは言いません。一人前の戦士じゃないと後方にやられないように。炊事場にさげられたら恥ずかしい。戦争中ずっと炊事場にいるなんて絶対いや。そんなことになったら泣くわ。

——男と同じに任務を果たせと言われたんですか？

私たちは大事にされていました。戦闘に行くには頼まなければならなかったし、それだけのことをしなければならない。実力を発揮する。そういうことには勇気が、向こう見ずなところが必要だったわ。

［戦争：三〇九］

しかし男性たちは、兵士として戦えるようになった女性に対して、今度は「君たちは良妻賢母にはなれない」と否定するようになるのです。

クラウヂヤ・クローヒナ　上級軍曹（狙撃兵）

夜になるとおしゃべり。話題はもちろん家のこと、おかあさんのこと、戦線に出ている父や兄のこと。戦争が終わったら何になりたいかという話。結婚したら、夫が可愛がってくれるだろうか、と。

大尉は笑ってこう言った。

「いやあ！　誰だって君らをかわいいと思うさ。だが戦争が終われば君らとは結婚はしないだろうな。その腕で皿なんか投げられたら命とりだ」

［戦争：五八］

（アレクシエーヴィチが汽車の中で出会った元兵士の男性）

そういう女は斥候に行く仲間ではあるが妻にはしない。女性は、母親であり花嫁だ、憧れの対象と思っていた。

［戦争：一三三］

当時のソ連の「男女平等」は、「女性も男性と一緒に同じだけ働くべし」という意味での「平等」でした。女性の大部分が職業に就いていたので、一見すると男女平等が実現しているように思えるのですが、職場で女性の昇進が男性と同等に保証されているわけではありません。一方で、育児や家事は、旧来のまま女性の役目とされていました。つまり、女性は男性と同様に労働者として働きながら、同時に、良い妻や賢い母でいなければならない、という二重の負担を強いられていたのです。

この建前上の男女平等と、女性らしさを求める社会規範の二重性が、そのまま戦場にも持ち込まれ、女性が「男と同じように戦い、美しく優しいままでいる」という二律背反的なことを求められていたように思えてなりません。

『戦争は女の顔をしていない』には、女性兵士たち自身が戦場でもかわいらしさや女らしさを求めていたという証言が数多く登場します。アレクシエーヴィチは、そうした「美しさ」への憧れは、女性が根源的に持つものだと言います。

戦争に女性らしい日常などありえないと思い込んでいたからだ。そんなことは不可能で、ほとんど禁じられている、と。でも、私は間違っていた……まもなく、何人かの会見で気づいたことだが、女性たちが何の話をしていても必ず（そう！）「美しさ」のことを思い出す、それは女性としての存在の根絶できない部分。
［戦争：二八三］

この点において、私は、アレクシエーヴィチとは少し異なる見方をしています。たしかに女性兵士たちには、どこにいても自分らしさを表現したいという思いがあったかもしれません。でもその「自分らしさ」というのは、はたして社会が求める「女性らしさ」だったのでしょうか。「どんなときも女性は女性らしく美しくあれ」という規範意識が無意識のうちに刷り込まれていたのではないか、少なくともそういう側面があったのではないかと思うのです。

「身体の記憶」を書き取る

単純に性別で分けてしまうのは発展性のない考え方ではあるのですが、とはいえ、女たちの語りは、語り方も内容も男たちの語りとはかなり違っていた、という実感をアレクシエーヴィチが持っていたことはたしかです。

では、どのように違っているのか。私は「身体性」を帯びる、というところに、女性の語りの特徴があると考えています。

この作品を読んだ方は、身体に関する証言がとても多いことに気づかれると思います。その中でも、特に女性性を象徴するのが、月経やおさげに関する話です。

アレクサンドラ・ポポーワ　親衛隊中尉（爆撃手）

武器係の女の子たちが爆弾四個、四百キロにもなる爆弾を爆撃機に手で取り付けます。一晩中これの繰り返し。一機離陸したと思うと次のが着陸する、というふうで。身体そのものが戦争に順応してしまって、戦中、女のあれが全く止まってしまいました。

［戦争：二九七］

マリヤ・クジメンコ　軍曹（武装調達）

半年たって、過労から私たちの身体は女でなくなりました。あれが止まってしまったんです。生物の周期が狂ったのです。もう永遠に女にならないんだ、と思うのは恐ろしかった。

［戦争：三〇二］

月経に関する証言を見ると、戦争の現実が、いかに女性本来の身体システムに合っていないかがわかります。また、経血のほかにも、負傷した脚を切断したり、大量の血が流れるような描写が多く登場します。こうした身体的描写の多さは、実際に身体の調子が狂い、傷を負い、切断されるという戦争の実態をあらわしているのは当然なのですが、この作品が発表された時期、つまりペレストロイカ前後に活躍が目立つようになったロシアの女性作家たちの多くの作品に共通する特徴であることも指摘しておきたいと思います。

ペレストロイカ以前のソ連の文学は「社会主義リアリズム」[*7]というたがをはめられていました。社会主義に沿った内容で、大衆にわかりやすく平易な言葉で書かれていなければならない、という縛りがあったのです。それが取り払われ、自由な表現が可能になったとき、女性作家たちは、さまざまな身体的描写を駆使し、ソ連社会がタブーとしてきた堕胎や売春といった問題も取りあげて作品を発表していきました。それぞれ書き方や方法論は違いますが、身体性に着目しているという点で、アレクシエーヴィチはリュドミラ・ペトルシェフスカヤ[*8]ら現代ロシア文学の女性作家たちの朋輩と言えるのではないかと思います。

ロシアの文化では「おさげ」＝「長い髪」は女性性の象徴で、女性たちは髪をとても大切にしていました。髪に関する証言が多いのは、そうした文化的背景もあるでしょう。

クラヴヂヤ・テレホワ　大尉（航空隊）

航空学校に来たときの女の子たちはみな長いお下げ髪でした……（中略）それをどうやって洗ったらいいのか、乾かす間もなく防空壕へ走らなければならないんです。指揮官のマリーナ・ラスコワは全員に髪を切るよう命じました。私たちは髪を切って泣きました。

［戦争：一一〇―一一一］

かつてロシアでは、結婚前の女性は長い髪を一本の太い三つ編みにしていて、結婚式の日に女友達が歌をうたうなか、三つ編みをほどくという風習がありました。つまり、長い三つ編みをほどくという行為は、特にロシアの農村部では、純潔や処女性との別れ、子供時代との決別といった意味合いを持っていました。ですから、まだ結婚前の若い女性たちが、長いおさげ髪を切るという行為には、単に軍に入隊したということ以上の、女性としてのアイデンティティを失うような、非常に重い意味があったのではないでしょうか。『戦争は女の顔をしていない』には、そうした成長の途上にある少女たちの身体の記憶が刻まれていると言うことができます。

紀貫之とアレクシエーヴィチ

やや唐突かもしれませんが、女性と男性の語りの違いを考えるにあたって、紀貫之[*9]の『土佐日記』[*10]を参照してみましょう。「男もすなる日記といふものを、女もしてみむとて、するなり」で始まる『土佐日記』は、男性の紀貫之が、女性に仮託し、仮名文字で文章を書いたものとされています。

『土佐日記』を書いたとき、貫之はわが子を亡くした悲しみの淵にいて、その悲しみを漢文では伝えられないので仮名で書くことを選んだ、という解釈があります。彼は、女性が使う言葉は私的で、感情表現に優れていると感じていたのでしょうか。漢字と仮名の違いに、男言葉と女言葉、公式の言葉と個人的な感情表現という差があったとするなら、紀貫之とアレクシエーヴィチには、通じるものがあるのかもしれません。

もちろん、豊かに感情を表現できる男性もいますし、女性でも建前のスローガンのような言葉しか使わない人もいます。しかし、女性には感情的な物言いが得意な傾向があるのではないかというのが、アレクシエーヴィチ自身が取材を通じて得た感触でもありました。

彼女たちは喜んでこういう娘らしい工夫や、小さな内緒事、表立っては見えないちょっとしたことについて生き生きと話してくれた。戦時の「男向きの」日常で、「男がやること」である戦争のただ中でも自分らしさを残しておきたかったことを。女性の本性にそむきたくない、という思い。

［戦争：二八四］

アレクシエーヴィチは、それまで周縁に置かれ、劣ったものであるとされてきた「女の語り」に、むしろ革新性と真実味があると感じたのでしょう。これは、欧米のフェミニズム[*11]の思想とも響き合うものではないかと思います。

ハイヒールと銃弾

女性性の象徴であるおさげ髪を切り、任務に没頭していった女性たちも、日常を愛する気持ちのすべてを捨て去ることはできませんでした。アレクシエーヴィチは、そんな証言を丹念に拾っています。

ヴェーラ・ホレワ（外科医）

前線に向かうときのこと……（中略）お店に飛び込んで、ハイヒールを買ったのを憶えてます。退却のとき、恐ろしかった、もう泥だらけであちこちで煙があがっていた。それなのになぜかハイヒールが買いたくなった。（中略）とてもエレガントなハイヒールだった。香水も買ったの。

［戦争：一〇七―一〇八］

タマーラ・ダヴィドヴィチ　軍曹（運転手）

春のことで射撃訓練が終わって、戻る時。スミレの花をたくさん摘んで小さな花束にして、銃剣につけて帰った。（中略）花束をライフルに結びつけたのを忘れたままでした。指揮官は小言を言い始めました。（中略）でもスミレは捨てませんでした。そっとそれをはずしてポケットに入れました。スミレのせいで三日間の罰当番を課せられました。

［戦争：一〇六―一〇七］

ハイヒールと銃弾。スミレの花束とライフル。相反するように思えるものが、彼女たちの戦場の記憶には同居しています。

証言者の中には、死がすぐそこまで迫っても、そうした思いを手放せなかったと語る人もいました。

オリガ・コルジュ（騎兵中隊、衛生指導員）

私は殺された時にみっともなく倒れているなんてどうしてもいやだった。殺された女の子をたくさん見ていたわ。どろんこまみれや水の中の。そういう死に方をしたくなかったの。機銃掃射を受けたときも、殺されたくないと思うより、とにかく顔を隠したものよ。手とか。女の子はみなそうだったと思うわ。男たちは私たちのことを笑ってた。男たちにとってはおかしかったのね。死のことでなくて、まったくくだらないことを気にしている。女の子独特のつまらないことを、って。

［戦争：二四二―二四三］

戦場で唯一私的な営み――恋愛

『戦争は女の顔をしていない』には、恋愛についての証言だけを集めた章があります。その証言の一つひとつがかけがえのない記憶であり、それぞれが一編の小説になりそうな話ばかりです。

ソフィヤ・クリーゲリ　上級軍曹（狙撃兵）

もし、戦争で恋に落ちなかったら、私は生き延びられなかったでしょう。恋の気持ちが救ってくれていました。私を救ってくれたのは恋です……

［戦争：三四七］

ソフィヤ・K　衛生指導員

戦争が終わる頃、私は子供を身ごもってたの。私が望んだのよ……でも娘は一人で育てた。彼は助けてくれなかった。何一つしようとしなかった。プレゼント一つ、手紙一つなかった。はがきの一枚も。戦争が終わったら、愛も終わり。歌で唄われているとおり……本妻のところに、子供たちのところに帰って行った。（中略）それでも、彼に感謝しているわ。（中略）生涯の恋なの。後悔していないわ。

［戦争：三四九―三五〇］

リュボーフィ・グロスチ　衛生指導員

私が少尉に恋をしているって誰にも打ち明けたことはなかった。（中略）その少尉を埋葬したの……防水布に横たわっている、殺されたままのかっこうで。（中略）お別れが始まって言われたの、「まず、お前から」。心臓が飛び出しそうだった。それでみんなが知っていたことが分かった。（中略）彼も分かっていたのだと思ったらとてつもなく嬉しかった。

［戦争：三六三―三六四］

アレクシエーヴィチは「恋は戦時中で唯一の個人的な出来事」「誰もが恋愛についてては死についてほど率直に語りたがらなかった」と書いています。

恋愛とは、きわめて私的な営みです。軍隊という集団主義的な組織の中にあって、そうした私的な営為は、集団の規律を破る力、価値観を持っています。恋愛やセックスは、きわめて無防備なもので、最も戦争に向いていない、個と個の結びつきです。大きな理念やイデオロギーが作用している戦争という強烈な磁場にあって、女たちは個人の恋愛という小さな、些細な感情を大切にしていました。このことは、ディテールに宿る物語を描くという文学的側面からも大事であるだけでなく、集団主義に対する突破力を持っているという意味でも重要だと思います。

証言の中には、母である女性の姿もあります。特に母と幼い子供のエピソードが多いのが、生活の中に戦場があったパルチザンの女性たちの証言です。

マリヤ・サヴィーツカヤ＝ラデュケーヴィチ　パルチザン（通信係）

一九四三年に女の子が生まれた。すでに夫とパルチザンに入って戦っていた時のこと。沼地で干し草の山で産んだの。（中略）周りは何もかも燃えてました。村の

人々は、学校や教会の建物に追い込まれそのまま焼かれた……灯油をかけられて……。（中略）

赤ん坊はまだ小さくて、三ヶ月でしたが、一緒に任務についていたんです。（中略）街から医薬品を運ぶ役。血清や包帯を。ちっちゃな手や足の間に入れておむつでくるんで運ぶ。（中略）そこら中にドイツ軍や警察の検問所があって、そこを通過できるのは私だけ。おむつをした赤ん坊と一緒だから。

［戦争：九三—九四］

ワレンチーナ・イリケーヴィチ　パルチザン（連絡係）

気の狂っている女性に出くわしたことがあります。足が立たず、這っている。自分はもう死んでいると思いこんで。身体から血が流れているのは感じていながら、あの世でのことだと思っている。（中略）その女の人は五人の子供と一緒に銃殺に連れて行かれたことを語ってくれました。納屋に連れて行かれる途中で子供たちは少しずつ殺されたのです。奴らは銃を発射し、しかも楽しんでいた……最後に乳飲み子の男の子が残って、ファシストは「空中に放りあげろ、そしたらしとめてやるから」と身ぶりでうながした。女の人は赤ちゃんを自分の手で地面に投げつけて殺した……自分の子供を……（中略）

これは私が話しているんじゃありません、私の悲しみが語っているんです。

［戦争：三八〇―三八一］

敵に殺されるぐらいなら、と自分の手で殺《あや》めるところまで追い詰められていた母親の姿は、ことのほか痛ましいものです。パルチザンの言葉は、正規軍に入隊して戦った女性とは一種異なる壮絶さを持っています。

証言の中には、捕虜や負傷者など、弱き者、戦争によって傷ついた者のエピソードも少なくありません。第1章で述べたように、アレクシエーヴィチが証言者に選んでいるのは、「小さな人間」です。「小さな人間」は女性に限りません。社会の片隅に追いやられている人、虐げられ、忘れられてしまうような弱者であれば、アレクシエーヴィチは、性別にかかわらず心を寄せていきます。彼女の最初の作品である『戦争は女の顔をしていない』が女性の証言、同じ年に発表された『ボタン穴から見た戦争』が戦争当時子供だった人たちの証言によって成り立っていることは、おそらく、戦争という極限状態において女性と子供が「弱者」を代表する立場に置かれるものだというアレクシエーヴィチの見方を象徴しているのではないでしょうか。

＊1　国家防衛委員会

ソ連国家防衛委員会は、独ソ戦期における臨時の上級国家機関で、全権力を保持、一九四一年六月三十日から四五年九月四日まで存在した。議長はスターリン。

＊2　ヨシフ・スターリン

一八七八〜一九五三。ソ連の政治家・軍人。ジョージア生まれ。一九二四年、レーニン没後にソ連の第二代最高指導者となり、政敵や反対派などへの大規模な弾圧を伴う、強権的な独裁支配を敷いた。第二次世界大戦では独ソ戦により連合国側と手を組むが、戦後の冷戦では東欧の社会主義諸国を傘下に置くなどして、西側との対立を鮮明にした。

＊3　「プラウダ」

ロシア語で「真実」の意の新聞。一九一八〜九一年、ソ連共産党中央委員会の公式機関紙だった。一二年、レーニンが自らボリシェヴィキの機関紙として創刊したとされる。ソ連崩壊後は一時休刊、民間紙として再開後も経営権その他をめぐってさまざまな紆余曲折を経るが、二〇一二年以降、正式にロシア連邦共産党の機関紙として存続。

＊4　ウラジーミル・レーニン

一八七〇〜一九二四。ロシアの革命家・政治家。シンビルスク（現ウリヤノフスク）生まれ。学生時代から革命運動に参加。一九一七年、ボリシェヴィキを率い十月革命を指導、史上初の社会主義政権を樹立、人民委員会議長となる。一九年、共産主義国際組織コミンテルンを創設。二二年にはソヴィエト連邦（ソ連）成立、初代最高指導者となった。『帝国主義論』『国家と革命』などの著書で、マルクス主義を帝国主義下の革命理論として発展させた。

＊5　アヴァンギャルド

「前衛」の意。芸術や文学においては、旧来の権威や保守的な伝統に挑む革新的な表現を指す。ロシア・アヴァンギャルドは、シュプレマティスムや構成主義、フォルマリズムなどを掲げ、革命前後に台頭。美術のマレーヴィチ、タトリン、詩人のマヤコフスキー、フレーブニコフ、クルチョーヌイフ、音楽のマチューシン、演劇のメイエルホリド、映画のエイゼンシュテイン、ジガ・ヴェルトフらが活躍した。同時に二十世紀初頭のヨーロッパでは、キュビスムや未来派に始まり、ダダイスム、シュルレアリスムなどの前衛芸術運動が興隆した。

＊6　（スターリンによる）粛清や管理の強化
スターリン政権は一九三〇年代に入ると厳しい政治弾圧を強行。三四年、穏健派のキーロフが暗殺されたのを機に政敵排除の動きは加速。秘密警察（GPU）を擁する内務人民委員部（NKVD）は、「反革命分子」やスパイと見なす者の摘発、逮捕、尋問、処刑を行った。処刑の対象は次第に市民にも広がり、処刑者数は三七年にピークを迎えた。芸術・文学におけるアヴァンギャルドも「形式主義批判」による粛清の対象となり、芸術家や文学者も拘束もしくは処刑された。

＊7　社会主義リアリズム
一九三〇年代の初めに提唱された芸術の創作方法。それは「形式においては民族的、内容においては社会主義的」で、写実的でわかりやすく、大衆の共感を呼び、革命国家建設の労働者を鼓舞する内容で、しかも思想教育的なものでなければならないとされた。三四年にソヴィエト作家同盟はこれを公式に規定し、以後、ソ連および社会主義諸国における文学や芸術は、党の政治方針に沿ったこの「模範」に従って制作されるべきものとなった。

＊8　リュドミラ・ペトルシェフスカヤ
一九三八～。バシキール自治共和国の孤児院で育つ。モスクワ大学ジャーナリズム学部卒業後、テレビ番組の編集などで生計を立てつつ小説の執筆を始めたが、なかなか発表の場を与えられなかった。ペレストロイカ以降はロシア国内外で高い評価を受け、ロシアの現代文学を代表する作家の一人となった。チェチェン戦争、ウクライナ侵攻などロシア政府の戦争行為に一貫して反対してい

る。代表作に『時は夜』、日本語訳に短編集『私のいた場所』がある。

＊9　紀貫之

?～九四五?　平安前期の歌人。三十六歌仙の一人で、『古今和歌集』の撰者の一人。「やまとうたは人の心を種として、よろずの言の葉とぞなれりける」で始まる『古今和歌集』の「仮名序」は後代の日本文学に影響を与えた。『新撰和歌』の私撰や家集『貫之集』など。

＊10『土佐日記』

九三五年頃成立とされる。貫之が土佐国司の任を終え、九三四年十二月、土佐を船出、翌年二月帰京するまでの日記。仮名文字による現存最古の日記で、女性による後続の日記文学発達の嚆矢となった。

＊11　フェミニズム

女性解放思想および社会運動。十八世紀末、フランス革命後に女性が市民権を求めた運動に始まり、第一波は十九世紀から二十世紀前半にかけ、女性参政権運動を中心に欧米に広まった。続く第二波は、ボーヴォワール『第二の性』（一九四九）を端緒とし、六〇年代後半から七〇年代前半にかけて、アメリカのウーマン・リブ、フランスのMLF（女性解放運動）を中心に、家族や性、雇用や賃金をふくむ労働などにおける性差別との闘いとして世界に広まった。九〇年代初頭には、女性の個性や多文化的価値観を標榜する第三波が、二〇一〇年代からはSNSの#MeTooに代表される第四波が起こっている。

РОДИНА-МАТЬ
ЗОВЕТ!
ВОЕННАЯ ПРИСЯГА
Я, гражданин Союза Советских Социалистических Республик, вступая в ряды Рабоче-Крестьянской Красной Армии, принимаю присягу и торжественно клянусь быть честным, храбрым, дисциплинированным, бдительным бойцом, строго хранить военную и государственную тайну, беспрекословно выполнять все воинские уставы и приказы командиров и начальников.
Я клянусь добросовестно изучать военное дело, всемерно беречь военное и народное имущество и до последнего дыхания быть преданным своему Народу, своей Советской Родине и Рабоче-Крестьянскому Правительству.
Я всегда готов по приказу Рабоче-Крестьянского Правительства выступить на защиту моей Родины — Союза Советских Социалистических Республик и, как воин Рабоче-Крестьянской Красной Армии, я клянусь защищать ее мужественно, умело, с достоинством и честью, не щадя своей крови и самой жизни для достижения полной победы над врагами.
Если же по злому умыслу я нарушу эту мою торжественную присягу, то пусть меня постигнет суровая кара советского закона, всеобщая ненависть и презрение трудящихся.

「母なる祖国」というプロパガンダ

『戦争は女の顔をしていない』の証言者たちは、みな戦争に人生を大きく左右されました。国家によるプロパガンダ[*1]に駆り立てられるように戦場へ向かい、戦後は戦後で、いわれのない処罰や差別によって苦しみや悲しみの淵に追いやられます。ここでは、理想の社会主義国家を目指したソ連がたどった道のりと、その時代に翻弄された人びとの姿を見ていきたいと思います。

百万人近くもの女性が第二次世界大戦に従軍した背景には、前章で述べたように、成人男性の多くがすでに戦争に行ってしまっていたこと、さらに、自分たちも祖国のために何かしなければという、やむにやまれぬ気持ちがありました。その気持ちを高め、彼女たちの背中を押したのは、国中にあふれていたさまざまなプロパガンダでした。

エヴゲーニヤ・サプローノワ　軍曹（親衛隊、航空装備士）

私の思いはただ一つ。前線へ、前線へ、でした。今は博物館入りしてしまった、あのポスターよ。「母なる祖国が呼んでいる！」「君は前線のために何をしたか？」少なくとも私にはとても大きな影響を与えたわ。いつも目についていた。歌だってあったでしょ？「立ち上がれ！　広大な国よ……決死の戦いに立ち上がれ……」

［戦争：七〇］

アントニーナ・ボンダレワ　中尉（一等飛行士）

子供たちに見せるために飛行機が飛んできたんです。一九三六年のこと。私たちにとってはとても物珍しかった。その頃「少年少女よ、飛行機乗りになろう！」というスローガンが流行ったの。もちろん私は共産青年同盟《コムソモール》だから先頭に立っていました。すぐに飛行クラブに入りました。

［戦争：七四］

第二次世界大戦の戦意高揚のためソ連が行ったプロパガンダで、最も有名なものの一つが、エヴゲーニヤの証言にある「母なる祖国が呼んでいる！」というキャッチフレーズを使ったポスターです（七三ページ図1、および本章扉参照）。

このポスターには、真っ赤な服を着た女性が、右手に宣誓書を持ち、戦場を指し示すかのように左手を高く掲げている姿が描かれています。その姿は、「祖国」を体現する集合的な母のイメージを創出し、この戦争が「母＝祖国」を守るためのものであることを、人びとの心に強く訴えかけたのです。

キャッチフレーズの「Родина《ローヂナ》-мать《マーチ》（母なる祖国）」は、アンドレイ・ベールイ*2の詩から取ったのではないかと言われています。ロシア語には男性名詞と女性名詞と中性名詞があるのですが、родина（祖国）もмать（母）もともに女性名詞だからこそしっくりくるフレーズになっています（もし「祖国」が男性名詞か中性名詞だったら、「母」とつなげて使うことはできなかったでしょう）。女性名詞の「祖国」は「母」と一体化して、「祖国＝母」を守らなければならないという呼びかけが効果的なインパクトを持ったのです。

第1章で、『戦争は女の顔をしていない』のタイトルの元になったアダモヴィチの『屋根の下の戦争』から、次の一節を紹介しました。

戦争は女の顔をしていない。しかしこの戦争において、私たちの母たちの顔ほど大きく、厳しく、恐ろしく、そして素晴らしいものとして記憶されたものはない。

ここでアダモヴィチは、母の顔を「大きく、厳しく、恐ろしく、素晴らしい」と表現しています。このとき彼がイメージしていたのは、このポスターの母の顔であったかもしれません。慈愛に満ちた優しい母というよりは、戦争へと子供らを誘導する、厳しく恐ろしい母の顔です。

「母」が祖国であるなら、「父」はスターリンということになるでしょう。一九三六年七月六日に赤の広場で行われたスポーツパレード[*3]で、「同志スターリン、私たちに幸せな子供時代をありがとう」というスローガンが用いられました。その「証拠」とされたのが、同じ年に撮影された、ブリヤート人[*4]の女の子を抱き上げるスターリンの写真（七三ページ図2）です。この写真は、「優しい父親」というスターリンのイメージ形成のためにさまざまな場所で使われ、効果を発揮しました。そして、ソ連の子供たちの中に、「母＝祖国」と「父＝スターリン」のために戦わなくてはならない、というイメージが強化されていったのです。

実際には、スターリンによる容赦のない粛清は戦前から行われていたわけですから、粛清で人びとを恐怖に陥れる顔を、優しい父の顔でカモフラージュしていたとも言えるでしょう。

毎日流れる愛国の歌

「母なる祖国」のポスターの原型は、すでにロシア革命時に作られていました。「君は志願兵として登録したか？」と赤軍への登録を呼びかけるポスターには、赤い服を着た赤軍兵士が、真正面からこちらを指さす姿が描かれています（七三ページ図3）。服の色、厳めしい顔つき、見る人を正面から革命や戦争に誘う姿は、「母なる祖国」のポスターと構図もよく似ています。

先ほどのエヴゲーニヤの証言には、「君は前線のために何をしたか？」というフレーズもありました。この言葉を使っているポスターでは、男性兵士が前線を指さし、戦争への協力を呼びかけています（七三ページ図4）。何かを指さし、親しい相手に使う「ТЫ《ティ》（君）」という二人称で、犠牲的な行為を呼びかけているところは、ロシア革命時のポスターと同じく、見た人一人ひとりに戦争への加担を促す、わかりやすいプロパガンダの手法だと言えます。

また、歌も有効なプロパガンダの手段として使われていました。最も広く知られていたのが、証言にある「立ち上がれ！　広大な国よ」という歌詞で始まる「聖なる戦争」です。

「聖なる戦争」は、ご覧のとおり（七五ページ参照）、「聖戦」である大祖国戦争へと人びとを動員する非常に愛国的な歌です。歌詞が「イズヴェスチヤ」[*5]紙と「赤い星」[*6]紙に発表されたのが、ドイツがソ連に侵攻した一九四一年六月二十二日の二日後、二十四日のことでした。第2章で触れた、スターリンが「兄弟姉妹たちよ！」と呼びかけたラジオ

図1「母なる祖国が呼んでいる！」
（写真提供:ユニフォトプレス）

図2 一躍国民的アイドルとなったブリヤート人の少女。しかしこの後、少女の両親は悲惨な最期を遂げることになる。
（写真提供:ユニフォトプレス）

図3 ロシア革命時に作られたポスター。「君は志願兵として登録したか？」
（写真提供:ユニフォトプレス）

図4「君は前線のために何をしたか？」
（写真提供:ユニフォトプレス）

放送は、その後の七月三日に行われています。戦況が厳しくなったこの年の十月からは、毎朝必ず、クレムリンの鐘の音に続けて、この歌がラジオで放送されるようになりました。

こうして、ポスター、歌、さらに映画など、芸術的手法を総動員して戦争の大義名分が宣伝され、人びとは次第に戦争協力をするように仕向けられていきます。

プロパガンダの時代が終わっても

ソ連でイデオロギー的なスローガンが使われるのは、戦時に限ったことではありません。ソ連時代を通じて、常にさまざまなスローガンが社会にはびこっており、人びとは、恐怖も手伝って、そうしたイデオロギーにがんじがらめにされていました。

一九九一年、「赤いユートピア」であるソ連が崩壊し、旧ソ連地域で暮らしていた人びとは、こうした愛国的な共産主義イデオロギーの呪縛から解放されたはずでした。しかし、一つのイデオロギー下で人生の長い時期を過ごした人は、ほとんどすべての思い出がそのイデオロギーと何らかの形でつながっています。そういう人にとって、イデオロギーは、単なる主義や思想ではなく、家族、友達、学校、ありとあらゆる思い出が詰めこまれたものです。そう考えると、時代が変わったからといって、すぐにそれを手放

Священная война「聖なる戦争」

Вставай, страна огромная,	立ち上がれ、広大な国よ
Вставай на смертный бой	立ち上がれ、決死の戦いに
С фашистской силой тёмною,	ファシストの邪悪な力との
С проклятою ордой.	忌まわしい侵入軍との
Пусть ярость благородная	気高い憤怒よ
Вскипает, как волна,	波のようにいきり立て
Идёт война народная,	人民の戦争
Священная война!	聖なる戦争が行われているのだ!

作詞／ワシーリー・レベジェフ=クマチ

すのはなかなか難しいだろうと思います。

タマーラ・トロプ　二等兵（土木工事担当）
父のような人たちのことを愚か者だ、スターリンを信じてしまった盲目だと言う人たちがいますが、私はそうは思わない。スターリンのことは恐れていた。レーニンの思想を信じていた。（中略）あの人たちが信じたのはスターリンでもレーニンでもなく、共産主義という思想です。
［戦争：二六七］

タマーラの父親のように、共産主義はよい思想だった、と考えている人はたくさんいます。「よい思想だったのに運用したスターリンが間違っていたのだ」と考え、共産主義者であることに誇りを持っている人たちです。

近年のロシアでも、ノスタルジックに「ソ連時代はよかった」と言う人が想像以上に多いことに驚かされます。ソ連時代に若い時期を過ごした人の中には、ソ連を否定することが、自分の人格や存在そのものを否定することにつながると感じる人もいるのでしょう。また、急激な資本主義化についていけず、「年金をきちんと支給してくれたから、昔のほうがよかった」「つつましかったけれど、生活はできた。今のような弱肉強食ではなくて前のほうがよかった」と、ソ連時代の社会制度の利点に価値を置き、ソ連社会に戻ったほうがいいと考える人も多いのです。

捕虜になった兵士を待っていたもの

第二次世界大戦におけるソ連国民の被害の大きさは、圧倒的です。戦死者は約二千七百万人と言われており、民間の犠牲者数も他国の比ではありませんでした。統計によってばらつきがありますが、戦死者数は、フランス、イギリスが数十万人、ドイツが四百四十万～五百五十万人と言われていますから、ソ連の人的被害は、文字どおり「桁」が違います。[*7]

戦後、これほど多くの犠牲を払い、ファシズムに辛勝したソ連の人びとに対して、スターリンは言論統制と思想統制を強化します。そして、敵の捕虜になっていた人たちを、ナチスに協力した、自発的に降伏したといった理由で、強制収容所に送ってしまうのです。

『戦争は女の顔をしていない』の二〇〇四年版で、アレクシエーヴィチは一九八五年の初版では自ら削除した証言を復活させていますが、その一つに次のようなものがあります。

（わたし自身が削除した部分）

わたしたちはほとんどみな、戦争が終わったらすべてが変わるんだと信じていました。スターリンは人民を信じるだろうって。ところが戦争がまだ終わらないうちから、列車がすでに次々にマガダン〔オホーツク海岸の町。流刑地〕へ送られていました。捕虜になっていた人たち、ドイツの収容所を耐え抜いてきた人たちが逮捕されたんです。その人たちはヨーロッパを見てきてしまった人たちで、ヨーロッパの人たちがどんなふうに暮らしているかしゃべってしまうかもしれませんでした。ヨーロッパでは共産主義者なしで暮らしていて、どんな家に住み、どんな立派な道路があるかを。そしてコルホーズなどどこにもないことを。〔戦争：三九〕

ソ連の収容所と聞くと、『収容所群島』[*8]という作品を思い出す方も多いのではないでしょうか。その作者であるアレクサンドル・ソルジェニーツィン[*9]のデビュー作が、『イワン・デニーソヴィチの一日』[*10]という小説です。スターリン時代の過酷なラーゲリ（収容所）の一日を描いた、収容所小説の先駆けになった作品です。物語の主人公であるイワン・デニーソヴィチ・シューホフも、じつはドイツ軍に捕らえられた元捕虜でした。

イワンは、ふつうの農民でした。前線に送られ、一九四二年にドイツ軍の捕虜になりましたが、二日後には脱走し、奇跡的に友軍に出会います。そのとき、正直に「ドイツ軍の捕虜になったが逃げてきた」と言ったため、「反逆罪」とされ収容所に入れられてしまうのです。そして、酷寒のシベリアで来る日も来る日も重労働をさせられます。『イワン・デニーソヴィチの一日』は、十年の刑期のうち、八年が経過したある一日の物語です。ソルジェニーツィン自身は捕虜だったわけではないのですが、捕虜を主人公にしたのは、短期間でも捕虜になればシベリアに送られるという何とも理不尽なケースがけっして珍しくなかったからなのでしょう。

本来であれば、国のために戦い、捕虜として苦労した人が帰国したのですから、労《ねぎら》うのが当たり前です。ところが、スターリンは、彼らをさらに過酷な場所へと追いやったのです。同時期には、多くの日本人もシベリアに抑留され、森林の伐採や炭鉱の採掘などに強制的に従事させられています。日本人の抑留者のそばには、「戦争犯罪人」として扱われた元捕虜のソ連人も、相当数いたのではないかと思います。

わが国で捕虜になった者はいない

「ソ連の兵士は降伏しない。捕虜はいない。いるとしたら裏切り者だ」。戦中からスターリンはそう公言していました。アレクシエーヴィチが一九八五年の初版時に削除した部分には、捕虜になることより死を選んだ兵士がいたことを示す証言があります。

（わたし自身が削除した部分）

わたしたちは包囲されてしまいました。わたしたちの政治指導員はルーニンでした。彼が「ソ連の兵士は決して虜囚とならない。スターリン同志がおっしゃるように、わが国の捕虜はいない、いるとすればそれは裏切り者だ」という命令を読み上げた。男たちはみなピストルを取り出した。そのときルーニンは言ったんです。「やめておけ。生き延びるんだ。まだ君たちは若い」そして、自分は自害したんです。

［戦争：三三二］

また、捕虜となって脱走し、ウクライナでパルチザンの助けを得て再び前線に戻った夫を待ち続けていた女性の証言もあります。

ワレンチーナ・M　パルチザン（連絡係）

戦争が始まったばかりの最初の数週間にスモレンスク近くで捕虜になって、その時ピストル自殺すべきだった。夫はそうしようとした。私には分かるわ、そうしたかったと……（中略）彼が見ている前で軍政治委員は石に頭をぶつけて自殺した……最後の弾丸が不発だったから……。彼の目の前で……。（中略）捜査官たちは彼をどなりつけました。「どうして生きてやがる！　どうして生き残った！」（中略）夫は七年たって戻って来た……戦争中の四年間、そして、勝利のあともコルイマ[*11]から戻るのを七年間息子と待った……ラーゲリ〔強制収容所〕からもどってくるのを。全部で十一年待ったんです。〔戦争：四三九―四四〇〕

捕虜だったことを理由に収容所に送られた人の正確な数は、わかっていません。捕虜になったというだけで懲罰を受けたという事実は、長らくソ連ではタブーとされてきました。収容所に送られ、生き延びた人たちが名誉を回復され釈放されるのは、スターリンが一九五三年に死去し、フルシチョフ[*12]がスターリン批判[*13]を始めてからのことです。さらに、社会でこの問題が真正面から取り上げられるようになるには、ペレストロイカまで待たなければなりませんでした。

勝利を奪われ、差別された女性たち

戦場から帰還した後、さらなる苦労を強いられたのは、捕虜だった人たちだけではありません。従軍した女性たちもそうでした。ただし、女性を苦しめたのは、収容所ではなく、世間の差別的な反応でした。

ワレンチーナ・チュダーエワ　軍曹（高射砲指揮官）

男たちは戦争に勝ち、英雄になり、理想の花婿になった。でも女たちに向けられる眼は全く違っていた。私たちの勝利は取り上げられてしまったの。

［戦争：一八二―一八三］

第2章でも述べましたが、当時のソ連社会には、共産主義の建前としての男女平等と、家父長主義的で良妻賢母を求める女性神話という二重の規範が存在していました。そのため、戦場で男性と同等か、それ以上に努力して戦っても、女性たちにはそれにふさわしい栄誉や称賛が与えられませんでした。それどころか、逆に「傷もの」だとか「あばずれ」などという、ひどく差別的な言葉をぶつけられたのです。

クラウヂア・S　狙撃兵

祖国でどんな迎え方をされたか？　涙なしでは語れません……四十年もたったけど、まだほほが熱くなるわ。男たちは黙っていたけど、女たちは？　女たちはこう言ったんです。「あんたたちが戦地で何をしていたか知ってるわ。若さで誘惑して、あたしたちの亭主と懇《ねんご》ろになってたんだろ。戦地のあばずれ、戦争の雌犬め……」ありとあらゆる侮辱を受けました……。ロシア語の汚い言葉は表現が豊富だから……

［戦争：三六七］

エカテリーナ・サンニコワ　軍曹（射撃兵）

私は共同住宅に住んでいたんですが、同じ住宅の女たちはみなご主人と一緒に住んでいて、私を侮辱しました。いじわるを言うんです。「で、戦地ではたくさんの男と寝たんでしょ？　へええ！」共同の台所で、私はジャガイモを煮ている鍋に酢を入れられました。塩を入れられたり……そうやって笑っているんです。

私の司令官が復員してきました。私のところに来て、私たちは結婚しました。一年後、彼は他の女のところに行ってしまいました。私が働いていた工場の食堂の支配人のところへ。「彼女は香水の匂いがするんだ、君は軍靴と巻き布の臭いだからな」と。

それっきり、一人で暮らしてます。天涯孤独の身です。(話を聞きに)来てくれてありがとう……

［戦争：三五二］

(アレクシエーヴィチが汽車の中で出会った元兵士の男性)

私の妻は馬鹿な女じゃないが、戦争に行っていた女たちのことを悪く言っている。「花婿探しに行っていたんでしょう」「恋に血道をあげていたんでしょう」と。

［戦争：一三六］

従軍した女性たちは、同性である女性にも差別されていたということです。それは、どれほど心に堪《こた》えるものだったでしょう。中には、実の母親に家を追い出された、結婚相手の母親や姉に侮辱された、という証言もあります。多くの証言者が、肩身の狭い思いをしながら、その後の人生を生きなければなりませんでした。特に、都市部以上に因習的な価値観が残る農村では、本当に大変だったと思います。

戦争から帰った女性たちがこうした状況に置かれても、戦場に送り出した国家や、戦場でともに戦った男性たちが彼女たちを擁護することはありませんでした。例外的なケースを除き、戦友だった男性たちも、どれほど国のために恐ろしい思いをし、どれほど辛い試練に耐えて女性兵士たちが自分らとともに戦ったかといったことを認めることなく、放置したのです。

タマーラ・ウムニャギナ　赤軍伍長（衛生指導員）

戦後はまた別の戦いがあった。それも恐ろしい戦いだった。男たちは私たちを置き去りにした。かばってくれなかった。戦地では違ってた。［戦争：四七八］

こうして見放され、差別された女性たちは、次第に「従軍経験は自分にとって不利益なもの」と考え、口を閉ざしてしまうようになったのです。多数の女性兵士がいたという事実、最前線で男性と伍して戦ったという事実は、アレクシエーヴィチが現れるまで四十年にわたってほとんど取り上げられることがありませんでした。

ソ連では、捕虜や収容所に言及することがタブーだったと述べましたが、この女性兵士の問題も、紛れもないタブーだったのです。

検閲が隠す戦争の闇

アレクシエーヴィチは、『戦争は女の顔をしていない』の二〇〇四年版で、初版時に自ら削除した部分を復活させました。当局の検閲で削除を命じられた証言も「検閲が削除した部分」と明示して作品に組み込んでいます。削除を命じられたのは、たとえば次のような証言です。


赤ちゃんの声が聞こえれば全員が死ぬことになる。三十人全員が。おわかりでしょう？

決断が下された。

指揮官の命令を誰も伝えることができない、しかし、母親は自分で思い当たった。布きれに包んだ赤ちゃんを水の中に沈めて、長いこと押さえていた。赤ちゃんはもう泣かない。

［戦争：二二六］

進軍していくだろ……ドイツに入って最初の村々……（中略）十人で一人の女性を暴行した。
［戦争：二二九］

子供を殺《あや》めたこと。女性への性的暴行。略奪。飢え。薄汚れ、グロテスクで、凄惨で、おぞましい戦争の実態を書くことは国家に対する中傷にも等しいものでした。英雄的な行為しか書いてはいけなかったのです。検閲官は、そんな公式の立場をアレクシエーヴィチに伝えてきました。

検閲官との会話より——

たしかに我々が勝利するのは並大抵のことではなかった。しかし、その中でも英雄的な手本を探そうとするべきだ。そういうものは何百とある。ところがあなたは戦争の汚さばかりを見せようとしている。

［戦争：二八―二九］

検閲官との会話より——

そんなことは嘘だ。これは、わが軍の兵士に対する、ヨーロッパの半分を解放したわが軍に対する中傷だ。わが国のパルチザン、わが英雄的国民にたいする中傷だ。

［戦争：三三二］

ペレストロイカ以前のソ連の検閲は、「社会主義リアリズムに沿ったものか」を基準に行われていました。社会主義リアリズムは、第2章で述べたように一九三四年以降、ソ連で芸術を創作する際に唯一認められた公式の芸術理念です。文学に限らず、美術、演劇などあらゆる芸術について、「現実を革命的発展において、正しく、歴史的具体性をもって描くべし」とうたい、その作品は「勤労者を社会主義の精神において思想的に改造し教育する」ものとされていました。抽象的な文言による規定でしたから、実際には、共産党の独裁的支配にとって都合のいい「社会主義的」な作品しか検閲を通りません。文学で言えば、現実のネガティブな側面をリアルに描いて社会の矛盾を暴露するようなものや幻想的なファンタジー、大衆にわかりにくい難解な作品は、検閲で排除されました。「ブルジョワ的だ」との恣意的なレッテルを貼られて規制された作品もいろいろあります。

スターリン批判後の一九五〇年代後半になると、一時的に言論への抑圧が少し弱まります。この時期を、イリヤ・エレンブルグ[*14]が五四年に発表した小説『雪どけ』[*15]のタイトルから「雪どけ」期と呼びます。検閲制度は残っていたものの、先ほど紹介したソルジェニーツィンの『イワン・デニーソヴィチの一日』が六二年に発表されたことは、雪どけ期を象徴する出来事でした。

ところが、その翌年の一九六三年には反動の波がやってきます。フルシチョフが社会主義リアリズムの重要性を強調するようになり、自由な芸術活動にはほど遠い状況が続きました。

言論や出版をめぐるそうした状況を大きく変えたのが、ペレストロイカでした。それまで長い間検閲でタブーとされていた麻薬、宗教、売春、捕虜などのテーマが、文学や映画に次々と現れるようになります。この時期に世に出た作品には、タブーを破って常識を覆すパワーがあり、神話を解体し真実に目を向けさせよう、言論の自由を押し広げようという意図が込められていました。『戦争は女の顔をしていない』も、そうした作品の一つと言えるものだったのです。

『戦争は女の顔をしていない』は、アレクシエーヴィチが、それまで閉ざされていた人びとの口を少しずつ開かせて作り上げた貴重な証言集であり、ソ連の言論の自由の進み具合を示す作品でもあります。一九八五年版と二〇〇四年版を比べると、初めて刊行された当時はここまでしか言えなかったのに、二〇〇四年になるとこんなことも言えるようになった、といったことがわかります。「ペレストロイカの申し子」とでも言えるような作品なのだと思います。

「すばらしい顔」と「恐ろしい顔」

検閲官との会話より——

あなたの小さな物語など必要ない。我々には大きな物語が要るんだ。勝利の物語が。

［戦争：三二］

共産主義には、偉大な大義名分があり、気高い理想があったことは事実でしょう。それによって人びとが鼓舞されたことも、たしかです。しかし一方で、そうした美しい「大きな物語」からこぼれ落ちてしまう、汚く暗い現実や忘れることができない恐ろしい出来事といったもう一つの側面、つまり「小さな物語」が無数にありました。

わたしも長いこと信じられなかった、わが国の勝利に二つの顔があるということを、すばらしい顔と恐ろしい顔が。見るに耐えない顔が。

［戦争：四二］

戦争が持つ、大義名分に彩られた大きな物語という「すばらしい顔」と、汚く恐ろしい「見るに耐えない顔」。しかし、「見るに耐えない」からといってその「恐ろしい顔」

から目をそむけるわけにはいかない。作品を通じて、アレクシエーヴィチはそう訴えてきます。どちらの顔も、戦争の真実なのですから。

そして、戦争の二つの顔は、一人の人間の中にも存在していました。

ニーナ・ヴィシネフスカヤは、曹長で戦車大隊の衛生指導員だった女性です。彼女の証言の記述は、こんな和やかな言葉で始まります。

何から話し始めたらいいのかしら？　あなたのために文章も作ってみたけど……。そう、じゃ、何がどうだったかってことをありのまま話すわ……女友達に話すつもりでね。
［戦争：一三八］

新品の合切袋の底をほどいてスカートにしたこと。「大尉」という言葉を忘れて「おじさん」と呼びかけてしまったこと。戦場で好きだと言われた男性のこと。戦死した仲間がはめていた指輪を形見にもらおうと思ったけれど埋葬のときに落としてしまったこと……。ニーナは、たくさんの「小さな物語」をアレクシエーヴィチに話してくれました。

取材の後もニーナと文通を続けていたアレクシエーヴィチは、自分が驚いたことや衝撃を受けたことを選んで文章にし、彼女に送りました。すると、数週間後、「重たい書留」が送られてきます。そこには「新聞の切り抜き、モスクワの小中学校における退役軍人ニーナ・ヴィシネフスカヤの『戦争に関する愛国的な仕事』についての公式報告書」、そして、アレクシエーヴィチが書いたことがほとんど残っていない、「ずたずたに削られ」た原稿が入っていました。

そのときのことをアレクシエーヴィチはこう回想します。

> その後もこのように一人の人間の中にある二つの真実にたびたび出くわすことになる。心の奥底に追いやられているそのひとの真実と、現代の時代の精神の染みついた、新聞の匂いのする他人の真実が。第一の真実は二つ目の圧力に耐えきれない。
>
> ［戦争：一五四］

新聞の切り抜きや公式報告書にあるのは、イデオロギーに沿った「他人の真実」であり、検閲官が望むような「大きな物語」にほかなりません。それにそぐわない「そのひとの真実」という小さな物語を自分自身で圧殺してしまうことがあったのです。

家を訪問して話を聞く時に、もし彼女のほかに身内や知り合い、近所の人などがいると、ことに男性が居合わせると、（中略）始終、内側の堅い守りに突き当たった、セルフコントロールに。しょっちゅう訂正しようとする。聞き手が多いほど、話は無味乾燥で消毒済みになっていった。（中略）

いつも私は驚かされた。もっとも人間的な素朴なことに対する不信感と、現実を理想や実物大の模型に、ありふれた暖かみを冷たい輝きにすりかえたいという願望に。

私は忘れられない、ニーナさんの台所で打ち解けてお茶を飲んだことを、そして二人で泣いたことを。

［戦争：一五四―一五五］

こうした証言者のリアクションは、ペレストロイカ後、徐々に変化していきます。一九八五年に『戦争は女の顔をしていない』が刊行され、しだいにそれを社会が受け入れるようになると、ようやく彼女たちも、「話しても大丈夫なんだ」と安心し、さらなる証言を行うようになったのです。そうしたことからしても、この作品は、まさしくペレストロイカという時代を象徴する作品だったと言えるでしょう。

＊1　プロパガンダ

政治的意図に基づく思想宣伝活動。国家による大規模なプロパガンダは、第一次世界大戦参戦に向け世論を誘導したアメリカの広報委員会（CPI、またはクリール委員会）や、ロシア革命後のソ連において急速に発達。レーニンはプロパガンダと扇動を特に重視した。またナチス・ドイツをはじめ、特に戦前・戦中の各国で盛んに行われた。

＊2　アンドレイ・ベールイ

一八八〇〜一九三四。ロシアの作家・詩人。モスクワ生まれ。友人の詩人・劇作家アレクサンドル・ブロークと並びロシア象徴派の後期を代表。散文詩「交響楽」などで詩・散文・音楽の統合を試みた。ナボコフが「二十世紀の散文を代表する傑作の一つ」と呼んだ前衛的な長編『ペテルブルグ』をはじめ、『銀の鳩』『魂の遍歴』『モスクワ』などの小説がある。

＊3　スポーツパレード

一九三六年七月六日、スターリン観覧の下、モスクワ・赤の広場で繰り広げられた、スポーツ選手による祭典。競技種目は体操、競輪、重量挙げ、ボクシング、フェンシング、フィギュアスケート、バレーボール、バスケットボール、サッカーなど。モスクワのサッカー・チーム、スパルタークによる紅白戦は、敷石の上に九千平米の巨大な人工芝のカーペットを敷いて行われた。

＊4　ブリヤート人

ロシア連邦内、東シベリアのブリヤート共和国を中心に、モンゴル北部や中国の内モンゴル自治区などにも居住するモンゴル系民族。写真の少女は、一九三六年にモスクワを訪れた、ブリヤート・モンゴル自治ソヴィエト社会主義共和国の代表団の一員の娘で、当時七歳のエンゲリシナ・マルキゾワ（一九二八―二〇〇四）。彼女の父は翌三七年粛清に遭いスパイ容疑で逮捕、三八年銃殺。同年母も流刑とされ二年後に変死。その後、彼女は公式舞台から消され、写真の少女の名は別人のものにすり替えられた。

＊5 「イズヴェスチヤ」
ロシア語で「報知」の意の新聞。一九一七年、ペトログラード（ペテルブルク）の労働者・兵士代表ソヴィエトの機関紙として創刊。ソ連政府およびソ連最高会議の公式機関紙として、党機関紙「プラウダ」と並ぶ代表的日刊紙となる。ソ連崩壊後はロシアの民間紙として存続。

＊6 「赤い星」
ロシア語では「クラスナヤ・ズヴェズダー」。一九二三年、ソ連陸海軍人民委員部（後のソ連国防省）の機関紙として創刊。ソ連崩壊後はロシア連邦国防省の機関紙となる。「赤い星」は赤軍兵士が徽章として用いて以来、共産主義のシンボル・マーク。

＊7 各国の推定戦死者数（民間人を含む）については、ペーター・ガイス／ギョーム・ル・カントレック監修『ドイツ・フランス共通歴史教科書【近現代史】――ウィーン会議から1945年までのヨーロッパと世界』（明石書店、二〇一六年）、ヴィクトル・ゼムスコフ「大祖国戦争におけるソ連の人的被害」（ロシア歴史学研究所、二〇一五年）ほかを参照した。

＊8 『収容所群島』
一九七三〜七五年、フランスで刊行された、ソルジェニーツィンによる記録文学。副題は「1918―1956文学的考察」。全三巻七部（日本語訳は全六巻）。著者自身の体験、生存者の証言、調査を基に、ソ連の収容所体制の歴史と内情を描き、政府当局を徹底的に批判した膨大なドキュメンタリー。

＊9 アレクサンドル・ソルジェニーツィン
一九一八〜二〇〇八。ソ連の作家。カフカス生まれ。一九四五年、従軍中に告発され、強制収容所（ラーゲリ）に服役。流刑の後、五六年釈放。六二年作家デビューするも、六四年のフル

シチョフ失脚以降は国内での発表を禁止され、小説『ガン病棟』ほかを国外で出版（六八年）。七〇年ノーベル文学賞受賞。『収容所群島』第一巻発表後の七四年逮捕・国外追放、西ドイツ、スイスを経てアメリカに移住。九〇年市民権回復、九四年ロシアに帰国。

＊10　『イワン・デニーソヴィチの一日』

一九六二年発表、ソルジェニーツィンのデビュー中編小説。文芸誌「ノーヴイ・ミール（新世界）」での発表と同時に、国内外に衝撃を広げ、反響を呼ぶ。同作の発表許可にあたっては、党第一書記兼首相フルシチョフの強力な擁護があった。内容は本文参照。

＊11　コルイマ

シベリア北東部を流れるコルイマ川流域の強制収容所群を指す。囚人たちの強制労働により金鉱の採掘が進められた。政治犯をふくむ囚人労働者の多くは、苛酷な労働と極寒と飢えにより短期間で死亡し、ナチスのアウシュヴィッツと並ぶ史上最悪の収容所と恐れられた。

＊12　ニキータ・フルシチョフ

一八九四〜一九七一。ソ連の政治家。ウクライナとの国境に近い、ロシア南部クルスクの村に生まれる。一九五三年のスターリン死後、党第一書記となり、暫定的な後継者マレンコフ首相らと集団指導体制を形成。五六年「スターリン批判」。五八年首相を兼任し最高指導者となる。五九年訪米、西側との平和共存外交を図るが、中国とは関係悪化。また宇宙開発競争を推進。六二年のキューバ危機では米ソ開戦を寸前で回避。六四年に失脚し引退。

＊13　スターリン批判

一九五六年二月、ソ連共産党第二十回大会における、党第一書記フルシチョフの秘密報告「個人崇拝とその結果について」のこと。粛清の実態を暴露、加えて対外政策の失敗などを挙げ、その原因をスターリンの独裁体制と彼への個人崇拝にあると批判した。その演説内容は初めソ連共産党内部と、一部の外国共産党幹部に知らされただけだったが、アメリカ国務省が入手した内容の英訳を六月に発表、世界の知るところとなった。

＊14 イリヤ・エレンブルグ

一八九一〜一九六七。ソ連の作家。ウクライナのキーウ生まれ。十五歳でボリシェヴィキの活動に参加するも、十八歳でパリに亡命。フランス、ベルギー、ドイツ、スペインなどの西欧と、革命後の祖国を行き来しながら、『トラストD・E』などの小説を発表。第二次世界大戦中の『パリ陥落』、戦後の『嵐』ではスターリン賞受賞。スターリン没後の一九五四年、『雪どけ』を発表、ソ連社会の「非スターリン化」の動きを象徴する作品となる。

＊15 『雪どけ』

一九五四年発表、エレンブルグの中編小説。地方都市を舞台にして、官僚的な工場長とその妻、父親をラーゲリに送られ妻を戦争で失った技師との三角関係を中心に、スターリン賞候補となった進歩的な画家や、妻と風景しか描かない貧乏画家、ユダヤ人女医と奇矯な老技師長の恋など、市民の人間模様を描く。スターリン死後の自由への息吹とソ連社会の変化の兆しを、「スターリン批判」に先立って鋭敏に捉えた。

第4章――「感情の歴史」を描く

歴史学と文学の違い

『戦争は女の顔をしていない』に始まる「ユートピアの声」五部作で、アレクシエーヴィチは、「人間がどのように振る舞ったか」ということよりもむしろ「どのように感じたか」という、主観的経験を引き出して作品を作り上げました。客観的事実を突き止めようとする歴史家の姿勢とは違い、人間の感情や魂を重視するそのインタビューの仕方、関心の持ちようを、彼女自身は「作家の目で世界をながめる」と表現しています。

歴史が関心を持つのは事実のみで、感情は相手にされない。歴史には感情をはさまないことになっている。わたしは、歴史家の目ではなく、作家の目で世界をながめている。人間というものに驚かされている……『セカンドハンドの時代※』

フランス語やイタリア語と同様に、ロシア語では、「история《イストーリヤ》」という一つの語が、「歴史」と「物語」の両方を意味します。これは、歴史が単に「時間の経過とともに発生した過去のもろもろの出来事」を指すのではなく、「さまざまな出来事の関係性を語る物語から成るもの」であることを象徴的にあらわしているのではないかと思います。

体験者や目撃者の口述によって記録された歴史は、オーラル・ヒストリーと呼ばれます。オーラル・ヒストリーとは、元々、文献だけでは歴史的事実を確定できないような場合に、関係者に直接話を聞いて補足・記録する、という副次的な研究手法でした。しかし近年は、人の記憶を可視化し歴史として記録するものとして、より積極的な意味が与えられ、注目されています。その背景には、大物政治家の思惑や事件の経緯ばかりが重視され、叙述される傾向が強かった、実証的な歴史研究の方法に対する、批判的潮流が影響しているのでしょう。

作家としてのアレクシエーヴィチの手法は、一見すると、オーラル・ヒストリーの手法に似ています。しかし彼女自身は、自分の作品をオーラル・ヒストリーだとは考えていません。二〇一八年にミンスクでインタビューしたとき、直接質問してみたのですが、「私の作品はオーラル・ヒストリーではなく、文学です」と何度も明言していました。おそらく彼女にとって、歴史とは編年的に事実を確定させていくものであり、それに対して自分が書いている作品は、ある出来事が起きたときに人びとがどんな感情を

※スヴェトラーナ・アレクシエーヴィチ『セカンドハンドの時代「赤い国」を生きた人びと』松本妙子訳、岩波書店、二〇一六年、六ページ。以下、同書からの引用は［『セカンドハンドの時代』：六］のように示す。

持ったか、というきわめて文学的な関心を満たすものだというふうに区別しているのではないかと思います。これは一般的な定義ではなくあくまでもアレクシエーヴィチ自身の考えですが、少なくとも、彼女の作品が、文学と歴史学の境界領域にあるということは言えると思います。

アレクシエーヴィチは、自らの作品を「声によるロマン」と表現します。「ロマン（роман）」は、ロシア語では長編小説のことで、「声」は複数形になっていますから、「たくさんの声から成る小説」というわけです。彼女の文学は、主人公が一人いて、その人格形成を追うように時間経過とともに物語が語られていく、いわゆる教養小説（ビルドゥングスロマン）ではありませんが、たくさんの登場人物がいて、プロットや流れがある、一つの自立した文学作品になっています。その意味で「声によるロマン」という言い方は、アレクシエーヴィチの文学の特徴を明確にあらわすものと言えるでしょう。

苦しみの言葉は時を超える

近年、欧米を中心に、感情に焦点を当てて従来の研究とは異なる視点から歴史を解釈しなおそうという「感情史」が注目されるようになっています。アレクシエーヴィチの作品は、まさにスラヴ文化圏における感情史の先駆的なサンプルと言っていいでしょう。その最大の特徴は、証言者に対する敬意、愛、そして共感だと思います。

私は大きな物語を一人の人間の大きさで考えようとしている。何かを理解するために。言葉を見つけ出すために。けれども、このそれほど大きくはない、そして見直すのに便利だと思われた一人の人間の心のなかでさえ、歴史を理解するよりはるかに分かりにくく、はるかに予測がつかないものなのだ。というのも私が相手にしているのは生の涙、生の気持ちだから。人間の生きた顔にも、話をしている時に心の痛みや恐怖の陰が差す。時には人間の苦悩がかすかに分かる程度に美しく見えたりまでする。そういうとき私は自分自身におびえてしまう。

道はただ一つ。人間を愛すること。愛をもって理解しようとすること。

［戦争：二二三―二二四］

アレクシエーヴィチは、一人ひとりに愛をもって接し、個別の複雑な「気持ち」を汲み取り、それを人間の普遍的な感情に昇華させています。そのとき、ごくふつうの言葉で語られていた個人的な物語が、非日常的な輝きを得て詩的かつ普遍的な物語に変容するのではないでしょうか。

感情の中でも、アレクシエーヴィチが特に重視しているのが、「苦しみ」「悲しみ」です。その点において、ロシア文学の代表的作家であるドストエフスキーとの親和性の高さを感じます。ドストエフスキーは、数々の作品で人びとの苦しみを徹底的に見つめた作家です。形式的にはアダモヴィチを引き継いだアレクシエーヴィチですが、内容的に最も響き合うのはドストエフスキーなのではないかという気さえします。

真の苦しみの中にいる人が絞り出すようにして語る言葉は、崇高なものになる。証言の中には、たしかにそう感じさせる、宝石のような言葉があります。

アンナ・ベリャイ　看護婦

戦闘は夜中に終わりました。朝になって雪が降りました。亡くなった人たちの身体が雪に覆われました……その多くが手を上に上げていました……空の方に……。「幸せって何か」と訊かれるんですか？　私はこう答えるの。殺された人ばっかりが横たわっている中に生きている人が見つかること……

［戦争：一一六―一一七］

アナスタシヤ・メドヴェドゥキナ　二等兵（機関銃射手）

私がどういうふうに銃を撃ったかは話せるわ。でも、どんなふうに泣いたかってことは、だめね。それは言葉にならないわ。一つだけ分かっているのは、戦争で人間はものすごく怖いものに、理解できないものになるってこと。それをどうやって理解するっていうの?

［戦争：三一二］

こうした言葉は、長い間苦しんだ人でなければ、発することができないものでしょう。私がインタビューした際、アレクシエーヴィチは「私たち作家は時代に縛られているが、証言者たちは苦しみの中にいることで時代から解放されている」とも語っていました。後世に残る文学作品を書く人は、常に「どうやって時代を超えるか」ということを考えています。もちろん時代背景を考慮することも大事ではありますが、それを突き抜けて幅広い時代の読者に届く言葉で書かれていることが、後世に残る作品の条件なのではないかと思うのです。アレクシエーヴィチは、苦しみこそが人を純化させ、時を超えるものだと考えていました。だからこそ、彼女は苦しみをテーマとして重視し続けたのでしょう。

インタビューで、アレクシエーヴィチはこう語ってくれました。

「苦しみというのはそれ自体が芸術です。人は苦しむと、気高い声で話すようになります。作者にはとても手が届かないような気高い声です。作者は自らのいるべき場所をわきまえなければなりません。気高い話の後で作者が哲学を語る必要はないと思うのです」

これに続く「だから私は自分の言葉を付け加えないのです」という言葉に、私は深く納得させられました。苦しみから発せられる言葉は、時代の制約から解放され、時間を超越し、普遍的なものに昇華する。そんなアレクシエーヴィチの思いが伝わってきました。

文学として誕生した『戦争は女の顔をしていない』は、その後、さまざまな芸術ジャンルへと広がり、優れたアダプテーションの実例になっています。作品の刊行とほぼ同時期に、質の高い芝居を上演することで知られるオムスクのドラマ劇場[*1]がこの作品を舞台化しました。ペレストロイカという時代の後押しを受け、演劇化された作品は評判を呼び、やがて全国各地の劇場で上演されるようになりました。ロシアでは、テレビドラマ化もされています。

二〇一九年にカンテミール・バラーゴフ監督が映画化した『戦争と女の顔』（原題はロシア語で「Дылда《ディルダ》《のっぽ》」）も『戦争は女の顔をしていない』を原作としたものです。心身に傷を負った二人の元女性兵士が戦後をどのように生きていくかに焦点を当てた、哀しくも美しい作品です。

日本では、二〇一九年より漫画家小梅けいとによるコミック化*2が開始され、ウェブと単行本の両方で発表されて話題になっています。これまでロシア文学に触れることのなかった人にもアレクシエーヴィチの作品が知られるきっかけになりました。二〇二一年には、作家の逢坂冬馬が『戦争は女の顔をしていない』にインスピレーションを得た小説『同志少女よ、敵を撃て』を書き、女性スナイパーを主人公にした起伏に富んだドラマと戦場の説得力ある描写でアガサ・クリスティー賞、本屋大賞を受賞しています。

『戦争は女の顔をしていない』には、戦争の記憶を風化させまいという使命がありま す。この先、さらに時代が変わっても、さまざまな形で後世に読み継がれ、語り継がれ、その使命を果たしていく力を持っている作品だと思います。

トラウマ——終わらない戦争

『戦争は女の顔をしていない』の中には、戦後長い間、あるいは、ずっと消えることなく、さまざまな形でトラウマが続いたという証言が数多く残されています。

オリガ・オメリチェンコ　歩兵中隊（衛生指導員）

戦争から戻ってきて、私は重い病気になりました。あちこちの病院をまわり、ついに年老いた教授のもとにたどり着きました。その人が主治医になりました。薬よりも言葉で治してくれた。私の病気を説明してくれたんです。「もしあなたが、十八歳や十九歳で前線に出たのなら、身体ができていただろう。でもあなたは十六の時だったから、まだまだ若くて、身体がひどくトラウマを受けてしまった」、と。

［戦争：二二二］

まだ少女と呼べる世代の女性が戦場に行き、過酷な経験をしたのですから、こうしたことが起こるのは、当然のことでしょう。

今でこそ心的外傷後ストレス障害（PTSD）[*3]という病名があり、治療を受けることもできますが、当時のソ連では精神的症状へのケアはほぼ皆無でした。

そもそもPTSDは、ベトナム戦争[*4]の帰還兵の心理的障害に関する研究から生まれた病名です。戦場から戻っても日常生活に適応できず、死の危険に直面した記憶がフラッシュバックしたり、極度の緊張状態に陥ったりする帰還兵の精神的変調は「ベトナム症候群」と呼ばれ、その後の研究を経て診断法や治療法が確立されました。

ベトナム戦争と時期的にも近く、「ソ連にとってのベトナム戦争」とも言えるのが、アフガニスタン戦争でした。実際にソ連国内には、ベトナム帰還兵と同じような精神疾患に苦しむアフガン帰還兵たちがいました。しかし、ソ連の社会は、アフガニスタン戦争で心に傷を負った人たちの存在を隠蔽しようとし、トラウマを抱えた人たちをケアするシステムを作りませんでした。第二次世界大戦の戦後期であれば、精神科に通うことのハードルはなおさら高かったでしょう。女性が従軍したことを隠す風潮が強かったことを考えれば、証言者たちが一人で症状を抱え、苦しんでいたことは、想像に難くありません。

クラウヂヤ・クローヒナ　上級軍曹（狙撃兵）

生きて帰っても心はいつまでも痛んでる。今だったら、足とか手をけがしたほうがいいと思うね。身体が痛むほうがいいって。心の痛みはとても辛いの。［戦争：六二］

アリヴィナ・ガンチムロワ　上級軍曹（斥候）

私は戦争が終わってからも十五年間偵察に行っていました。毎晩毎晩……そういう夢です。自動小銃が壊れてしまったり、包囲されていたり、眼が覚めてもまだ歯ががちがち鳴っていました。［戦争：八八］

マリヤ・エジョワ　衛生輜重《しちょう》

戦後は産科に助産婦としてつとめましたが、長くは続きませんでした。血の匂いのアレルギー、身体が受け付けないんです。戦地であまりにたくさん血を見てしまったので、もう我慢できなかったんです。（中略）赤い更紗でも、バラやカーネーションの赤でも私の身体は受け付けなかったんです。赤いものは何でも、血の色のものは……今でも家には赤いものは何もありません。

［戦争：四六四］

作中でも特に凄惨を極める経験とトラウマの証言を残しているのが、リュドミーラ・カシェチキナです。地下活動家だったリュドミーラは、戦中、ナチスに捕まり、拷問を受けました。

電気椅子でも拷問された。それは、私がこの刑吏どもの一人に唾《つば》を吐きかけたから。若かったか年をとっていたかも覚えていない。私は素っ裸にされて、そいつが胸をつかんだ。私はすっかり弱っていて、唾を吐きかけるのが精一杯だった。そいつの顔に唾を吐いたら、電気椅子に座らされた。

それ以来、電気恐怖症なの。電気を通された感覚が忘れられない。シーツにアイロンも掛けられない。生涯治らない。（中略）電気とかかわりがあるものは何もできません。戦争のあとで何か精神内科の治療が必要だったのかもしれないわね。

［戦争：四二七］

リュドミーラが受けた拷問はあまりに残虐で、読んでいて胸が苦しくなります。ソ連のために命をかけて拷問に耐え、過酷な経験をし、戦後ようやく家に帰ったリュドミーラを待っていたのは、ソ連の秘密警察による仕打ちでした。

夫は内務人民委員部に逮捕されて、監獄にいたの。そこに行くと……なんてことを言われたことか！「あなたの夫は裏切り者だ」私と夫は地下活動に参加していたのよ、二人とも。あの人は勇敢で正直な人よ。密告をされたの……中傷……「そんなはずありません。うちの夫が裏切り者だなんて。私は彼を信じます。あの人こそ本物の共産主義者です」彼の捜査官は突然わめきだす。「だまれ、フランスの売女め！　黙るんだ！」占領地域に住んでいたこと、捕虜になったこと、ドイツに連行されたこと、ファシストの強制収容所にいたこと、その全てに疑いがかけられたの。

［戦争：四三〇］

トラウマが残る経験、女性への差別、捕虜への不当な扱い。リュドミーラの証言には、戦争と「スターリン時代」の恐ろしさを象徴的にあらわすエピソードが詰まっています。リュドミーラは、戦時中も、戦後も、そして、ナチスからも、ソ連の当局からも、何重にも傷つけられました。こうした人たちのトラウマは、癒すことができないほど深いものだっただろうと思います。

共感＝エンパシーの力

アレクシエーヴィチは、トラウマを抱えた人たちに寄り添い、時にともに涙しながら、自分のことのように心を寄せて証言に耳をすませます。そのとき彼女の中にあるのは、自分より少し下の立場の人に対する哀れみを意味する「同情（compassion）」ではなく、対等な立場にいる相手に感情移入する「共感（empathy）」なのだと思います。他者の苦しみや悲しみに感情移入することができる、優れた感性を持ったアレクシエーヴィチだからこそ、この作品を生み出すことができたのでしょう。

共感することは、ときにあたかも絶対善であるかのように称揚されることがありますが、そうした見方に疑問を呈する意見もあります。アメリカの心理学者ポール・ブルーム[*5]は、著書『反共感論』[*6]（高橋洋訳、白揚社、二〇一八年）の中で、共感《エンパシー》が必ずしもよいものとは限らないと指摘しています。ある特定の人の話を聞き、心を寄せすぎて共感してしまうと、その人にだけスポットライトを当ててしまうことになる。ほかの人たちを差別し、愚かな判断をしてしまう可能性をはらんでいる。共感とは、感情的なものだけに危険でもあるというのが、ブルームの主張です。

この主張には一理あると思いますが、アレクシエーヴィチには、この批判は当てはまらないでしょう。彼女は、どの著書でも、何十、何百という人に取材しています。中には共感を寄せられないような話をする人もいたかもしれませんが、ほとんどの場合、証言する人のそれぞれの立場に深い理解と思いやりを示していたはずです。数多くの声を聞くことで、特定の一人にスポットライトを当てずに相対化できたのではないでしょうか。

一人だけに共感してしまうと、その証言と矛盾する証言が得られた場合、後者の証言を「間違ったもの」として排除してしまうかもしれません。しかし、アレクシエーヴィチは、一人ひとりの話をじっくり聞くことで、互いに矛盾する証言があっても、それをあるがままに受け入れます。そうすることで、無数の声が全体として一つの有機体、生き物のようになって、お互いの矛盾しているところを少しずつ浄化していくと彼女は語っていました。証言を足すことでその有機体は成長したり、時に自己浄化していくのです。

また、アレクシエーヴィチが深く共感しながら話を聞いたことは、証言者たちにとって、ある種の癒しにもなったと考えられます。女性たちの多くは、自分の声が公式に取り上げられることのないまま、長い時間を過ごしてきました。心の底に抱えていた痛み、悲しみ、苦しみをアレクシエーヴィチに吐露することで、カウンセリングを受けているかのような効果がもたらされたのではないかと思います。証言することが彼女たちの気持ちを整理し、心の傷を少しでも癒すものになっていてほしい。そう祈らずにはいられません。

ドイツ人へのエンパシー

共感する力を持っていたのは、作者であるアレクシエーヴィチだけではありませんでした。証言者たちもまた、他者の苦しみや悲しみへの共感力を持っていました。特に目を引くのが、「敵」であるドイツ兵に対する哀れみを感じている証言です。

エフロシーニヤ・ブレウス　大尉（軍医）

私は看護婦さんと並んでいて、そのそばで二人の兵士たちが粥《かゆ》を炊いていました。二人のドイツの捕虜がどこからか近寄ってきて食べ物をくれと言います。私たちはパンを持っていたんです。分けてやると、粥を炊いている兵隊たちが非難しているんです。

「見ろよ、医者たちが敵にあんなにパンをやってるぜ!」とか。(中略)すると先ほど私たちを非難していた兵士たちがドイツの捕虜に言っているんです。

「どうした、腹がへってるのか?」

ドイツ人は突っ立って、待っています。わが軍の兵士は仲間にパンを渡して、「切ってやれよ」と。

パンが切り分けられました。ドイツ人たちはパンを受け取って、まだ待っています。お粥が煮えるのを見ているのです。

「しょうがない、粥をやれよ」(中略)

兵士たちはお粥に塩漬けの脂身を加えて、缶詰の空き缶に入れてやりました。

これがロシア兵魂ってもんです。(中略)

こういう強烈な思い、こういう強い思い……

[戦争:三三五—三三七]

ジナイーダ・コルジュ　騎兵中隊、衛生指導員

三人で穴の中にいました。私が抱えていた負傷者と、私とドイツ人です。穴は小さくてお互いの脚がぶつかるほどです。そして私は二人の血で血まみれ。血は混ざり合いました。（中略）味方の手当を中途にしてドイツ人の服を引きちぎり、包帯をしてやります。「いい《グート》、ありがとう《ダンケ》」とドイツ人。それから私は味方の手当をしてやります。ドイツ人は「いい《グート》、いい《グート》」だけを繰り返している。（中略）それから衛生班の大型四輪無蓋馬車が来た。二人とも引きずり出して……馬車に乗せました。そのドイツ人の負傷者も。分かります？

［戦争：二四一―二四二］

ナターリヤ・セルゲーエワ　二等兵（衛生係）

冬にドイツ人の捕虜が連れて行かれるのに出くわしたときのこと。みんな凍えていた。（中略）捕虜の中に一人の兵士がいた……。少年よ……。涙が顔の上に凍り付いている。私は手押し車で食堂にパンを運んでいるところだった。その兵士の眼が私の手押し車に釘付けになっているの。私のことなんか眼中になくて、手押し車だけを見てる。パンだ、パン……。私はパンを一個とって半分に割ってやり、それを兵士にあげた。その子は受け取った……。受け取ったけど、信じられないの……。

信じられない……信じられないのよ。

私は嬉しかった……　憎むことができないということが嬉しかった。自分でも驚いたわ……

［戦争：一二九］

こうした複雑な心の動きをていねいに拾い上げているところにも、アレクシエーヴィチが感情の歴史を描くことを重視していたことが感じられます。

動物や自然への共感

さらに、アレクシエーヴィチの著作には、証言者が人間だけでなく「自然」にもエンパシーを感じていたことを示唆する言葉も目立ちます。『戦争は女の顔をしていない』には、動物や植物へのエンパシーを感じる声を集めた「馬や小鳥たちの思い出」という章もあります。そうした証言を取り上げていることから、アレクシエーヴィチ自身が自然への共感を大切にしていることがわかります。

野戦病院で働いていたメンバー
負傷者が叫んでいるのはものすごく恐ろしいけれど、撃たれた馬の悲鳴のようないななきはもっと恐ろしいんです。馬はまったく罪がないのに。人間のやることに責任を負わされることはありません。誰も森に逃げ込まず、みんなが、馬を救おうと飛び出しました。

［戦争：二〇五］

また、別の章にもこんな証言があります。

ワレンチーナ・イリケーヴィチ　パルチザン（連絡係）

私は殺したくなかった。誰かを殺すために生まれて来たのではありません。私は先生になりたかったんです。村が焼かれるのを見たことがあります。叫ぶこともできなかった。大声で泣くことも。（中略）人々が泣き叫ぶ声、牛、鶏、何もかもが人間の言葉を叫んでいるように聞こえました。生きとし生けるものがみな、焼かれながら、泣き叫んでいる……

これは私が話しているんじゃありません、私の悲しみが語っているんです。

［戦争：三八〇―三八二］

アレクシエーヴィチ自身も序文の中で「人間たちだけが苦しんでいるのではなく、土も、小鳥たちも、木々も苦しんでいる。地上に生きているもののすべてが、言葉もなく苦しんでいる、だからなお恐ろしい……」と語っています。人びとと、馬、牛、鶏、土、木々、生きとし生けるものすべてが平等に、同じ地平にいる。そこには、人が上、それ以外が下、というヒエラルキーはありません。

こうした生き物へのエンパシーは、「ユートピアの声」五部作の四作目に当たる『チェルノブイリの祈り』に、特に強く感じられます。

最初の恐怖があった……。あたしらは、朝、庭や畑で死んだモグラをみつけたんです。（中略）

ゴメリの息子が電話をかけてきた。

「で、コガネムシはとんでるかい？」

「とんでないねえ。幼虫もどこにも見えないよ。かくれちまってる」

「なら、ミミズは？」

「ミミズがいたらニワトリがよろこぶよ。ミミズもいない」

『チェルノブイリの祈り』※次々頁参照

人間が気づかなかった放射線の恐ろしさを、虫や動物はわかっていたという証言です。ほかにも避難する子供がペットの犬や猫も連れて行こうとトランクの中に隠したのに見つかって置いていかされる話など、人間と動物の間に境界線を引かず、同等に大事なものとして扱っている場面が数多くあります。

アレクシエーヴィチは、二〇一六年に来日した際、福島県を訪れています。その後、東京外国語大学で行った講演で、「新しい哲学が必要だ」と語りました。その「新しい哲学」とは具体的にどういうものなのか尋ねてみました。すると、こんな答えが返ってきました。

「チェルノブイリやフクシマをまわって、人間は自然界における自分の位置を見直すべきだと悟りました。自分が自然界の主人だと考えることはやめるべきです。私自身の中にあったのは、人間の方が上だという優越感ではなく、動物の世界とつながっているという感覚です」

戦争や原発事故によって自然が破壊され、それによって傷つくのは、人間だけではありません。原発に象徴されるような功利主義・進歩主義に基づいて猛進することや、人間が自然を「征服」し、自然の上に「君臨」することをやめ、自然と共生するための「新しい哲学」を生み出さなければならない。こうしたアレクシエーヴィチのエコロジカルな視点は、『戦争は女の顔をしていない』や『チェルノブイリの祈り』から感じられる動物や植物への共感と響き合っています。

「自由かパンか」

『戦争は女の顔をしていない』から始まったアレクシエーヴィチと「小さな人間」の物語は、今なお続いています。

ソ連の崩壊によって、人びとは独裁から解放され、自由を手にしたはずでした。少なくとも、自由を手にする貴重な機会だったのです。しかし、時代の風向きをいち早く感じ取った人たちは、まるで悪魔に魂を売り渡すかのように、拝金主義に盲従します。そして強い指導者を求め、ナショナリズムを称揚していきました。

古くさい思想が復活している。偉大な帝国について、「鉄の腕」について、「ロシア独自の道」について……。ソ連国歌がもどってきた。名前こそ「仲間《ナーシ》」だが、共産

※スヴェトラーナ・アレクシエーヴィチ『チェルノブイリの祈り 未来の物語』（完全版）松本妙子訳、岩波書店、二〇二一年、七四ページ。

青年同盟があり、共産党をコピーした権力の政党がある。大統領の権力は、書記長なみ。絶対的な権力だ。
［『セカンドハンドの時代』：一一一―一一二］

心の準備もないまま、急激に押し寄せた資本主義の荒波にのみ込まれた人びとの多くは、一部の人が成金になっていくさまを横目に見ながら、「社会主義に向かってすっとばしていた列車から、資本主義をめざしてぐんぐん走る列車へ、みんながさっと乗り換えている。わたしは乗り遅れそう……」［『セカンドハンドの時代』：一一四―一一五］と感じたに違いありません。そうした時代を生きる人びとの言葉を集め、アレクシエーヴィチは五部作の最後の作品である『セカンドハンドの時代』を書きました。すべてがどこかで見た風景、何もかもが使い古しの「セカンドハンド」のようなものだ、と。

独裁的なソ連時代を知っている人たちは、「自由」を「恐怖」と対極のものだと捉えています。それに対して、もっと若い世代は、自由があるのは当たり前という感覚になっています。もちろんそれがあるべき姿だと思うのですが、「自由があって当たり前」ではない体制が長く続いた国で生まれ、生きて、考えてきたアレクシエーヴィチにとって、せっかく手にした自由をどうしたらいいのか、また、どうするべきだったのかという問題は、避けては通れない大きな関心事であり続けています。

物質的な豊かさと自由のどちらを選ぶか、つまり「自由かパンか」という問題は、普遍的なものです。百年以上前にドストエフスキーが『カラマーゾフの兄弟』の中の叙事詩「大審問官」で提示したのも、この問題にほかなりません。ここで大審問官は「人間を幸福にするには地上のパン（＝モノ）を与えればよい、天上のパン（＝自由）は人間には耐えられない」と言い、キリストはそれに対して「人はパンだけで生きるのではない」と答えます。

アレクシエーヴィチは、この問題に対して、こう言います。

「人は常に選択しなければならない。苦悩をともなった自由か、それとも自由のない幸福か。そして大部分の人が後者の道を歩む」。これは、彼女らしい、現実に根ざした観察なのでしょう。実際、ソ連崩壊後に多くの人びとが選んだのは、物質的な豊かさという「地上のパン」でした。社会の混乱に乗じてのし上がり、権力者に近づく人たちがいる一方、「小さな人間」は、またもやさまざまなものを奪われ、貧富の差がどんどん開いていくのを止めることもできずにいました。そして、ペレストロイカで保障されたはずの言論の自由はじわじわと後退させられ、強権的な権力が恐怖によって人びとを支配しようとしています。

こうした状況に対し、ベラルーシでは、市民が主役になって自由を求める闘いが、現在進行形で続いています。

アレクシエーヴィチが住んでいたベラルーシでは、二〇二〇年八月九日に行われた大統領選[*7]の不正疑惑をめぐり、ルカシェンコ[*8]大統領の退陣を求める抗議デモが選挙後毎週のように続けられました。当局に拘束された夫の代わりに大統領選に立候補したスヴェトラーナ・チハノフスカヤ[*9]を中心に「政権移譲調整評議会」が設立され、アレクシエーヴィチもこの評議会の幹部に名を連ねました。しかし、評議会のメンバーのほぼ全員が、逮捕されたり国外退去を強いられたりし、アレクシエーヴィチも国外に出ることを余儀なくされました。

このベラルーシの民主化運動で特徴的なのは、女性たちの活躍がきわ立っていることです。チハノフスカヤの選挙運動を支えたのは、同じく出馬を断念させられた夫を持つヴェロニカ・ツェプカロ[*10]と、フルート奏者・指揮者のマリヤ・コレスニコワ[*11]でした。そして、この政権と闘う「女三銃士」を見守っているのが、ほかでもないアレクシエーヴィチだったのです。選挙後の九月九日、アレクシエーヴィチは自らが会長を務めるベラルーシ・ペンセンターの公式サイトに、次のような声明を出しました。

「私たちは政変を企てたのではない。自分たちの国の分裂を防ごうとしたのだ。社会で対話が始まることを望んだのだ」

「ロシアのインテリゲンツィヤに呼びかけたい。（中略）小さな、誇り高き国民が踏みにじられているのを目の当たりにして、あなたたちはどうして黙っているのか？　私たちは今でもあなたたちの兄弟なのに。同胞たちに言いたい。私は皆さんを愛している、誇りに思っている、と」

今、市民の自由と尊厳を求めるポスト・ソ連の民主化運動は、「女の顔をしている」と言えるかもしれません。

『戦争は女の顔をしていない』は、アレクシエーヴィチの原点に位置する著作です。彼女は、従軍女性というテーマに出会い、何百人もの名もなき証人たちに話を聞き、検閲と闘いながら「声による小説《ロマン》」という独創的なジャンルを打ち立てました。その過程において、ジャーナリストとして出発したアレクシエーヴィチは、次第に自らの作品が紛れもない「文学」にほかならないと確信するようになったのでしょう。言葉を換えれば、『戦争は女の顔をしていない』は、アレクシエーヴィチがジャーナリズムから出発して文学の領域へと足を踏み入れようとしたその瞬間に誕生した、証言文学の金字塔と言ってもいいのではないでしょうか。

＊1 オムスクのドラマ劇場
オムスクはロシア連邦中南部、十八世紀初頭に建設された西シベリアの中心都市。十九世紀にドストエフスキーの流刑地だったことでも知られる。現在はロシアきっての演劇都市で、中でもオムスク・ドラマ劇場は有名。日本の女優を招いた安部公房原作の舞台『砂の女』は、ロシア演劇界の最高峰とされる「黄金のマスク賞」（一九九七年）の演出家賞、主演女優賞、主演男優賞を受賞している。

＊2 日本で……コミック化
小梅けいとによる漫画化（速水螺旋人監修）。二〇一九年四月よりウェブコミック配信サイトComic Walkerで連載中。単行本は現在四巻まで刊行（二〇年一月、十二月、二二年三月、二三年四月、KADOKAWA）。

＊3 心的外傷後ストレス障害（PTSD）
強い精神的衝撃を感じる出来事（戦争、災害、事故、犯罪、虐待、暴行など）を体験、または目撃した後、それが心的外傷（トラウマ）となり、著しい精神的苦痛や生活機能の低下をもたらすストレス障害。主に恐怖・無力感、トラウマに関連する刺激の回避傾向、悪夢やフラッシュバック、睡眠障害などの症状が、一か月以上持続するもの。それ未満の場合は急性ストレス障害（ASD）として区別される。

＊4 ベトナム戦争
南北ベトナムの統治をめぐる戦争。南ベトナム（ベトナム共和国）はアメリカ、北ベトナム（ベトナム民主共和国）はソ連の支持を受けていたため、実質的には米ソを中心とする東西両陣営の代理戦争となった。一九六〇年結成の南ベトナム解放民族戦線が、翌年南ベトナム政府に対する本格的な抗争を開始。アメリカが軍事介入し、六五年からは北ベトナム爆撃（北爆）を開始。対ゲリラ戦などで米軍の戦いは長期化、泥沼化した。七三年パリ和平協定により米軍は撤退。七五年サイゴン陥落、南ベトナム政府は崩壊。七六年南北ベトナム統一。

＊5　ポール・ブルーム

一九六三〜。アメリカの心理学者。イェール大学教授。カナダ・モントリオール生まれ。発達心理学、認知心理学、社会的推論、道徳心理学の研究・教育で知られる。著書に『赤ちゃんはどこまで人間なのか――心の理解の起源』『喜びはどれほど深い？――心の根源にあるもの』『ジャスト・ベイビー――赤ちゃんが教えてくれる善悪の起源』など。

＊6　『反共感論』

原著は二〇一六年刊。共感を無条件に善とする考えが、公正を欠く政策から人種差別までの社会的問題を生み出しているとし、心理学・脳科学・哲学の視点からその危険性を説き明かす論考。共感を「情動的共感」と「認知的共感」に分け、特に前者が陥りがちな身内寄りの郷党的偏見を指摘し、また後者への道徳的な過大評価にも警鐘を鳴らす。

＊7　二〇二〇年八月九日……大統領選

二〇二〇年八月のベラルーシ大統領選挙で、当初反政権派の有力候補は、元駐米大使ワレリー・ツェプカロ、民間銀行頭取ヴィクトル・ババリコ、人気ブロガーのセルゲイ・チハノフスキーの三人だったが、六月までに後者二人は当局に拘束、七月半ばにワレリーは審査で失格。チハノフスキーの妻スヴェトラーナ・チハノフスカヤが立候補し、七月三十日に首都ミンスクで行われた集会には市民六万人が参加。だが八月九日の選挙当日、選管は早々に現職のルカシェンコが得票率八〇％で圧勝と発表。すぐに選挙の不正を訴え大統領の退陣を求める市民の抗議運動が拡大、十万〜二十万人規模のデモが週末ごとに数か月にわたり続いた。

＊8　アレクサンドル・ルカシェンコ

一九五四〜。ベラルーシの政治家。九四年、大統領に初当選。九六年に任期延長、二〇〇一年再選。〇四年には憲法の多選禁止条項を撤廃し、〇六年三選。以降、二〇二〇年まで六選。二〇〇〇年からはベラルーシ・ロシア連合国家の初代最高国家会議議長(国家元首)を兼ねる。「ヨーロッパ最後の独裁者」と呼ばれる個人崇拝の強権体制を敷き、過去の選挙でも得票率改ざんや野党候補への妨害など不正疑惑が後を絶たない。

＊9 スヴェトラーナ・チハノフスカヤ
一九八二〜。ベラルーシの政治活動家。二〇二〇年大統領選候補。選挙出馬前は秘書・通訳だった。当局に拘束されたブロガーの夫の代わりに、政治経験がないまま出馬、広く反政権派の支持を得る。八月九日の選挙当日、選管の公式発表では得票率一〇%とされ落選。翌日に出国、隣国リトアニアを拠点に、「政権移譲調整評議会」中心メンバーとして、ルカシェンコ大統領の退陣と民主的な政権移譲を訴え活動。

＊10 ヴェロニカ・ツェプカロ
一九七二〜。ベラルーシの政治活動家。一九九八年ベラルーシ国立大学国際関係学部卒業後、ベラルーシ国立経済大学などでマネジメントとビジネスを研究。マイクロソフト事業開発マネージャーを務めた。二〇二〇年七月、大統領選候補を失格とされた元駐米大使の夫ワレリーと子ども二人の出国後、国内に残りチハノフスカヤの選挙陣営に加わる。八月の選挙の前日に出国、ポーランドで家族と合流後、リトアニアを経てラトビアに。拘束された女性たちを支援する「ベラルーシ女性基金」を設立。

＊11 マリヤ・コレスニコワ
一九八二〜。ベラルーシのフルート奏者・指揮者・政治活動家。二〇二〇年大統領選の候補ヴィクトル・ババリコ陣営の選挙マネージャーだったが、ババリコが当局に拘束されたため、チハノフスカヤの選挙陣営に加わる。八月の選挙後も国内に残り、「政権移譲調整評議会」メンバーとして抗議活動のカリスマ的存在となる。九月七日に当局により拉致され、翌日出国を強要されるが、ウクライナ国境でパスポートを破り抵抗。そのまま拘束され、収監中。

ブックス特別章

逆走する歴史

ウクライナへのロシアの侵攻

第1章から第4章までは、二〇二一年八月に放送された番組「100分de名著」のためのテキストにわずかな加筆・修正を施したものですが、この章では「その後」の情勢を追いながら、アレクシエーヴィチ自身の声をお届けするとともに、あらためて彼女の作品の意義について考えてみたいと思います。

二〇二二年二月二四日、「ロシア人とウクライナ人の歴史的一体性」を掲げるプーチン大統領の指揮のもと、ロシア軍が突如としてウクライナに全面侵攻しました。ロシア政権は当初、首都キーウはすぐに陥落するだろうと予測していたようですが、ウクライナの防御はかたく、戦争は長期化しています。

それにしても、ウクライナ侵攻の大義名分の「歴史的一体性」ですが、「ロシア人・ウクライナ人・ベラルーシ人がキエフ・ルーシ（九―一三世紀）を共通の起源としている」からといって、現代においてもこの三者が一つの国でならなければならないというのには、論理の飛躍があります。ウクライナもベラルーシも、それぞれ独自の歴史的プロセスを経て発展し、ソ連崩壊後にはロシアとは別の主権国家になったのですから。

しかし、ロシア語話者の居住する地域をすべて「ロシア」と見なすという

〈ロシア世界〉《ルースキー・ミール》のイデオロギーを標榜するプーチンは、ウクライナの後ろ盾となってい

るNATOの目的はロシアを消滅させることだ、とか、ウクライナを「非ナチ化」しなければいけないなどという理由も挙げて、ウクライナ侵攻を正当化しようとしています。まるで帝国主義の時代に後戻りしたかのようです。

戦争が始まるや、ロシアの五十以上の都市で、人びとが反戦プラカードなどを手に街頭に出て抗議の意思をあらわしました。ロシアの人権団体「メモリアル」*1の活動家レフ・ポノマリョフは、開戦とほぼ同時に、「戦争に反対するアクションをロシアで起こし、戦争に抗議するあらゆる平和的な形態を支持する」と宣言して、いち早くネットで反戦署名を呼びかけました。その結果、四日間で百万筆の署名が集まったと言います。

作家、俳優、ジャーナリストら文化人も次々に反戦の声明やメッセージを発表しました。作家で評論家のドミートリー・ブィコフは、開戦翌日の二月二五日にラジオ「モスクワのこだま」で次のように語りました。

ロシアは、破滅に向かい進み始めた。ただひとつ願えることがあるのなら、ロシアがこの破滅から脱するとき、長い夢から覚めて悔い改め、変わっていくことだ。そこだけに希望がある。そして私はそれを信じる。私は戦争に反対する。この恥ずべき戦争に反対する。兄弟であるウクライナの平和を願う――これからも兄弟でいられるだろうか、私にはわからない。けれども私たちと彼らはすぐ近くで生き続け、ともにこの危機を脱しよう。[*2]

ブィコフはここで、ロシアとウクライナが「兄弟」だと述べています。私はこの戦争を、旧約聖書「創世記」[*3]に描かれている兄カインによる弟アベルの殺害になぞらえることができるのではないかと考えています。〈兄カイン＝ロシア〉が、〈弟アベル＝ウクライナ〉を殺そうとしているのではないか、と。そして、「アベルはどこに行ったのか」と尋ねられたときにカインが「知らない」と嘘をついたことは、ロシアの現政権が、ウクライナを侵略（＝殺戮）しておきながら虐殺をしていないと虚偽を申し立てることに重ね合わせることができるのではないかと思います。「創世記」では、アベルが「肥えた羊の初子《ういご》」を神に捧げて気に入られるのですが、これは、ウクライナの肥沃な土壌に対するカイン＝ロシアの嫉妬や欲望を重ね合わせることができるかもしれません。

ディストピアにおける言葉

戦争開始直後は、ロシア国内でもはっきり反戦を示す行動ができましたし、「戦争反対！（Нет войне!《ニェートヴォイニェー》）」のシュプレヒコールを叫ぶこともできたのですが、そうした活動は、またたくまに容赦ない弾圧を受けるようになり、路上に出た人たちは次々に手荒く逮捕・拘束されるようになりました。

三月四日に、プーチンが「ロシア軍の活動に関して偽情報を拡散した場合」や「軍の信用を貶める違法行為を呼びかけた場合」に罰則を科すという法律改正案に署名し、その翌日に施行されてからは、反戦デモは鳴りを潜めました。この法律に違反した人は最大で禁固一五年が科される可能性があるというのですから、デモに参加しようという人が減るのはやむを得ないことです。この時点からロシアでは、ウクライナ侵攻を「戦争」と呼ぶことも「戦争反対」のスローガンを唱えることも難しくなりました。「戦争」という言葉を使うことはロシア軍の信用を貶める行為であるとされ、「特別軍事作戦」と言わなければならなくなったのです。

こうした状況のなか、アレクシエーヴィチは、ベラルーシの軍隊がロシア軍とともにウクライナに攻め入ることを何よりも心配していました。それこそ、兄弟三つ巴の「骨肉の争い」となってしまうからです（結局、ベラルーシは参戦していません）。二〇二二年三月五日、アレクシエーヴィチを含む世界の著名な作家一七名が連名で、イギリス『ガーディアン』紙など複数のメディアを通じて、ロシア語話者にこう呼びかけました。

現在ロシア語は、ロシア国家によって、憎しみに火をつけウクライナに対する恥ずべき戦争を正当化するために使われている。公式メディアはロシア語を用いて、際限のない嘘を繰り返してこの侵攻に煙幕を張っている。

ロシアの人びとは長年のあいだ嘘にまみれてきた。独立系の情報源はほとんど全部破壊され、野党リーダーは黙らされている。国家のプロパガンダ機構がフル回転しているのだ。

この事態にあって、ウクライナに対するロシアの侵攻に関するありのままの真実をロシア市民に知らせることが喫緊の課題である。ウクライナ国民の苦しみと犠牲について。民間人が狙われ殺されていることについて。ヨーロッパ大陸全体の危機について。そして（プーチンが）核兵器の脅威を振りかざしていることを考えれば全人類に対する危機になり得るということについても。*4

　こうして、戦争の事実をきちんと本来の名前である「戦争」と呼ぶこと、嘘をつかず真実をごまかさずに伝えることを呼びかけたのです。国家のプロパガンダと真実が対置させられていることがわかります。このアピールには、アレクシエーヴィチ、南アフリカ出身のノーベル文学賞作家J・M・クッツェー[*5]のほか、歴史推理作家ボリス・アクーニン[*6]、SF作家ドミートリー・グルホフスキー[*7]、ポストモダン作家ウラジーミル・ソローキン[*8]、リアリズム作家リュドミラ・ウリツカヤ[*9]、ロシア語とドイツ語のバイリンガル作家ミハイル・シーシキン[*10]、亡命文芸評論家アレクサンドル・ゲニス[*11]など現代ロシアを代表する錚々たる面々が名を連ねました。ほぼ全員が、反体制・反プーチンを明言して、事実上亡命しているような状態にある人たちです。アレクシエーヴィチは、彼らと連携して、ロシア国内のプロパガンダの嘘を信じ込まされている人たちに働きかけようとしたのです。

「戦争」を「特別軍事作戦」と呼ばせて実態を隠そうという振舞いは、ジョージ・オーウェルが『一九八四年』[*12]で描いてみせたディストピア管理社会の「ニュースピーク」を想起させます。ニュースピークは、独裁体制を批判できないよう人びとの語彙や思考を制限する架空の言語です。たとえば「free」という言葉は、本来の「自由」という意味で使うことが禁じられています。

日本でも第二次世界大戦下、部隊が全滅しても「全滅」と言わせず「玉砕」、「撤退」したのに「転進」したと言い換えるなどのまやかしがあったことを思えば、言葉から本来の意味を奪い取って真実を隠すというのは、全体主義的な独裁権力が好んで用いる常套手段と言えるのかもしれません。

現在のロシアの言語現象がニュースピークを連想させるのは、さらに、ウクライナに侵攻したロシアの戦車や軍用車に白いペンキで描かれている「Z」や「V」といった文字のためもあるでしょう。ロシア語のキリル文字でなくラテン文字のこれらアルファベットは、いつのまにか政権支持をあらわす記号としてロシア社会に浸透してきています。何を意味しているのかについて、「Z」は**ЗАПАДНЫЙ**《ザーパドヌィ》「西の」で、「V」は**ВОСТОЧНЫЙ**《ヴォストーチヌィ》「東の」といった管区をあらわす用語の頭文字だなど諸説ありましたが、三月三日に国防省が「Z」は「勝利のために」、「V」は「真実の中の力」と「課題は遂行されるだろう」をあらわすと公表したことから、当局がお墨付きを与えた形になりました。戦争が始まってひと月も経たないうちに、だれが使い始めたのかもわからない文字がシンボルと化し、不気味に独り歩きしているのです。『一九八四年』でも、本来の意味が不明の短い略語がやたらに使われていたことを思うと、薄気味悪い符合のようにさえ感じられます。

スターリンの〝功罪〟

先述のとおり、アレクシエーヴィチは母方がウクライナ系ですし、ウクライナの祖母のことを、いつも愛情を込めて思い起こしてきました。ですから、今回のロシアによるウクライナ侵攻では、文字どおり身を切られるような辛い思いをしているに違いありません。

二〇二二年の五月に、私はオンラインでアレクシエーヴィチにインタビューをしました。戦争開始から二か月半経った時点です。突然の侵攻に大きなショックを受けたというアレクシエーヴィチは、現状を「兄弟同士で殺し合いをさせられているような状態」だと語り、こう続けました。

みなが「ナチ」なるものについて口にしますが、それもテレビのプロパガンダによって刷り込まれた発想です。悪いのはプーチン一人で、国民は可哀そうで怯えているだけだと言う人もいますが、それは間違っています、国民の多くが彼を支持しているのです。そして、制裁が始まった今では、プーチンを支持する人はさらに増えました。自分たちのまわりは敵だらけだ、という思い込みがさらに深いところまで浸透してきています。恐ろしいことです。『ユリイカ』インタビュー※

多くの人が国家のプロパガンダを信じ込んでいる、というのです。ウクライナがナチズムに染まっているというプロパガンダが、いったいなぜ、それほど強力にロシア社会に影響を及ぼすのでしょうか。複合的な要因が考えられるでしょうが、主な理由の一つは、ソヴィエト時代もソ連崩壊後もずっと、第二次世界大戦（大祖国戦争）の記憶とトラウマが、人びとの心を深く捉えていることにあると思います。ソヴィエト時代を生きた一定の年齢以上の人にとって、甚大な犠牲を出しながらも祖国防衛戦争に勝利したということはポジティヴな「集合的記憶」であり、プライドでもあります。プーチンが今回の侵攻に際して、ウクライナが「絶対悪」であるナチ・ドイツと同一だと主張すると、被害者としての記憶や勝利者としてのプライドに強く働きかける効果を持つのでしょう。もちろん、第二次世界大戦は祖国ソ連を守る正当防衛だったのに対し、今回は

※スヴェトラーナ・アレクシエーヴィチ「インタビュー」沼野恭子 聞き手、ターニャ・ミツリンスカヤ訳、『ユリイカ』二〇二二年七月号、四〇―四一ページ。以下、このインタビューからの引用は［ユリイカ：四〇―四一］のように記す。

侵略する側ですから、決定的な違いがあるわけですが、プロパガンダはもちろんそこには触れずに、「強いロシア」神話を呼び起こして人びとの自尊心をくすぐるのです。

このことは、スターリンの「功罪」という問題と深く関わっています。スターリンの「功」がナチス・ドイツに辛勝したことだとするなら、「罪」は過酷な弾圧と残虐非道な大粛清です。人権団体メモリアルが、スターリンの「罪」の内実を検証して記録し、公開してきたことは、きわめて重要な意義があったわけですが、プーチン政権はスターリンの「罪」を後景に追いやり、「功」ばかりを派手に可視化してきました。スターリンの復権を、少しずつ巧妙に、しかし着実におこなってきたのです。

プロパガンダの効力について、アレクシエーヴィチは「テレビと冷蔵庫」の比喩を用いて説明しています。〈テレビ〉はプロパガンダの発信源、〈冷蔵庫〉は一般の人の生活実態をあらわしています。経済的に困らず、店の品ぞろえが豊富なあいだは、〈テレビ〉すなわちプロパガンダを信じる人が多いけれど、西側の制裁などで商品が出まわらなくなり、〈冷蔵庫〉の中身が乏しくなれば、〈テレビ〉より〈冷蔵庫〉を信じるようになり、何が起きているのか、何が原因なのか、人びとは考え始めるだろうというのです。

イデオロギーか、物質的な暮らし向きか、ということでしょうか。実際には、戦争でロシアの軍需産業が好調なため、西側の制裁はロシア市場にあまり打撃を与えておらず、〈冷蔵庫〉が空っぽになることもないようなので、〈テレビ〉の魔力から覚醒しないでいる人が多いのかもしれません。〈テレビ〉の影響はとりわけ高齢者や地方在住者に強く作用すると言われています。

とはいえ、現代世界において、情報源は〈テレビ〉だけではありません。ロシアでは数年来、徐々にインターネットの規制が強まっているものの[*13]、一部のＳＮＳは利用でき、そこから情報を得ることが可能です。そのためネットを活用できる人たち、とくに比較的若い年齢層は、プロパガンダとはまったく異なる世界情勢、ロシアの現実を知っているはずです。加えて、兵士としてウクライナの戦場に送られ、その真相や惨状を自分の目で見た兵士たちの数も増えてきています。

そうした「外の世界」との接触、外部からの情報を持ち込むことが、一元的なプロパガンダに風穴を開ける可能性につながるでしょう。だからこそ、先に引いたアレクシエーヴィチたちの声明は、「ウクライナに対するロシアの侵攻に関するありのままの真実」を一人でも多くのロシア国民に知らせることの必要性を訴えているわけです。逆にロシア当局側は、それを阻止すべく、ネット規制をさらに強化し、「外国エージェント（スパイ）」の摘発をさかんにおこなっています。ロシアはますます「情報鎖国」の状態に近づきつつあると言えるでしょう。

兵力動員

二〇二二年九月、プーチンは「部分的動員令」を発令し、軍務経験のある予備役を三十万人召集しました。動員令が発動されるや、ロシア各地で抗議行動が発生し、逮捕者が千人を超えたと言われています。また、それ以前から、いわゆる頭脳労働者、とくにＩＴ関係者が国外に流出する現象が見られましたが、この動員令の後、かなり強引な召集が始まったため、召集を逃れるためにロシアから出国する人が激増しました。

『戦争は女の顔をしていない』の証言が示しているとおり、第二次世界大戦のときは、多くの女性が志願して自ら戦争に行きました。その数は約百万人と言われているわけですが、現在、女性はどれくらい軍隊にいるのでしょうか。

二〇二三年、国際女性デーの前日の三月七日、ロシアのショイグ国防相は、「特別軍事作戦」に参加している女性軍人は一千百人であると明らかにしました。ロシア軍に所属している女性は全部で三万九千人以上、そのうちの約五千人が将校クラスだと言います。

一方、ウクライナに目を転じると、ロシアのウクライナ侵攻後に女性兵士の数は急増しています。二〇二三年一一月二〇日にウクライナ軍報道センターが発表したところでは、二〇一四年（ロシアがクリミアを併合した年）の段階で、ウクライナ軍には五万人近い女性が所属し、そのうち約一万六千五百人が軍人だったのに対し、二〇二三年十月には、ウクライナ軍に所属する女性は約六万二千人、そのうち軍人が四万三千人以上だそうですから、倍以上に増えたということになります。そのうち七千七百人が将校クラス。そして、約五千人の女性兵士が戦闘地域で軍務についているとのことです。

ロシア側の女性兵士の増減はわかりませんが、少なくとも、こぞって志願し女性兵士の数が膨れあがっているといった状況ではなさそうです。ただし、ロシア軍の兵力不足は深刻なようで、民間軍事会社ワグネルの創始者エヴゲーニイ・プリゴージンが受刑者を募って激戦地に送り込むなどということまでしていたくらいですから、将来、女性に対して、動員をかけたり徴兵したりしないという保証はありません。

しかし、二〇二四年三月の時点で、女性兵の動員よりもはるかに大きな問題に発展しそうなのは、戦地に送られた男性動員兵の母や妻たちの抗議活動です。二〇二二年九月に動員されてから息子や夫が帰ってこない、あるいは遺体を引き取れないなどさまざまな声があがり、二〇二三年八月に「家への道《プーチ・ダモイ》」というSNSサイトが立ち上げられました。

原則として、動員されるのは軍務経験のある予備役が対象とされるはずなのですが、経験のあまりない人にも圧力をかけて無理やり契約を結ばせることもあり、また動員兵には任期がなく、戦争が終わらないと家に帰れないと言われています。「家への道」はオンライン署名を集めたり、モスクワでデモをおこなったりして「息子や夫を返してほしい」と訴えているのです。

じつは、ソ連時代の一九八九年に、ロシア連邦の兵士やその家族の人権を守ることを目的とした「ロシア兵士の母の会」という組織が結成されました。一九九四年に第一次チェチェン戦争が始まったときには、反戦デモをし、戦地を訪れてロシア兵を釈放させるなど、大きな成果をあげました。ひるがえって、強権的な取り締まりが強化されている現在、反戦につながるような動きは、いかなるものであれ芽のうちに摘まれてしまいます。当局は、動員兵士の母や妻たちの動きが大きな反戦活動に発展しないよう目を光らせているようです。

後戻りする時代

ご紹介してきたとおり、アレクシエーヴィチの手法は一貫して、人びとの生《なま》の声を、できるかぎりそのまま伝えるというものです。そして、著者はあくまでも黒子に徹し、自分の主張を読者に押しつけることなく、証言者自身に語ってもらうという、言ってみれば控えめな立ち位置に終始しています。その際、彼女の最大の役割は、もやもやした感情・気持ちを証言者が言語化する手助けをするという点にあると私は考えています。相手がリラックスできるような環境を作り、適切な質問や合いの手を入れ、最大限の理解と共感を示すことで、相手は自分自身の感情に言葉を与えて整理することができるのです。

一方で、アレクシエーヴィチの作品を読んでいると、著者自身がどう考えているのか、何を思ったのか、知りたくなるのもたしかです。そのため、このような作品を生み出したいきさつ、夥《おびただ》しい数の証言についての彼女自身の気持ちなどを探ろうと、私は三度インタビューを重ねました。

一回目は、二〇一八年七月末、ミンスクのご自宅を訪問して直に話を伺い、『アレクシエーヴィチとの対話』（岩波書店、二〇二一年）という本にその一部を収めました。二度目は、二〇二二年五月、ベルリンに移ったアレクシエーヴィチにオンラインでインタビューし、『ユリイカ』二〇二二年七月号に掲載していただきました。三度目は、二〇二三年二月にやはりベルリンとつなぎ、ジャーナリストの金平茂紀氏とともにオンラインでインタビューしました。その一部はＴＢＳテレビ「報道特集」で放送され、全体は『世界』二〇二三年五月号に掲載されました。

このようにインタビューを繰り返すというのは、とりもなおさず、証言者のもとに何度も通って粘り強く話を聞き続けてきたアレクシエーヴィチの方法そのものです。私自身が彼女のひそみにならってわかったのは、継続して話を聞いていると、相手の真意がより明らかになるだけでなく、発言の変化も追えるということです。

たとえば、二回目のインタビューでは、テレビによるプロパガンダの影響の大きさを指摘していたアレクシエーヴィチが、三回目では、「強いロシア」を唱導するプロパガンダを意識下で待ち望んでいた市民の心理に言及しています。つまり、受け手の側にもプロパガンダを受け入れてしまうナショナリスティックなメンタリティがあるとして、問題をより多角的に捉えようとシフトしていたのです。

アレクシエーヴィチの五部作の中で、著者の考えが比較的前景に出ているのは『戦争は女の顔をしていない』と『セカンドハンドの時代』でしょう。二〇一三年に出版された『セカンドハンドの時代』で彼女は、ソ連が崩壊した後、人びとが再び「ソヴィエト的」なメンタリティに戻りつつある、すべてがかつてどこかで見た風景に戻ってしまった、何もかもが「中古品＝セカンドハンド」だと指摘しています。

社会にソ連邦の需要が生まれた。スターリン崇拝の需要が。一九歳から三〇歳までの青年の半数がスターリンを「もっとも偉大な政治家」だと考えているのだ。スターリンが、ヒトラーより少なくない数の人間を一掃したこの国で、あらたなスターリン崇拝だなんて⁈　ソ連時代のものすべてがまたはやっている。

［アレクシエーヴィチ『セカンドハンドの時代』：一一］

この傾向は年を追うごとにますます強まり、時代はあたかも逆走しているかのようです。独裁者の独善、異論の抑圧や粛清、密告の奨励、言論の自由の弾圧、ＬＧＢＴＱへの差別助長、家父長的価値観の復活、ナショナリズムの扇動。まるでスターリン時代が蘇ったのではないかという一種の「既視感」に襲われます。アレクシエーヴィチが言うところの「赤い国」の復活です。

こうした風潮は、『戦争は女の顔をしていない』が出版された直後のペレストロイカの時期とは正反対です。一九八〇年代後半から一九九〇年代にかけて、ロシアはまがりなりにも「自由で開かれた社会」を目指していたのに、野放図な弱肉強食によって疲弊したあげく、二〇〇〇年代以降、「鉄の腕」を持つ強い為政者に、社会を明け渡してしまったかのようです。ドストエフスキーの言い方を借りるなら、自由よりもパンを優先させたということでしょう。時代のベクトルはすっかり逆を向いているのです。

アレクシエーヴィチは、こう語っています。

もし今『戦争は女の顔をしていない』を書いていて、証言してくれた女性たちが生きていたら……。（中略）ペレストロイカが始まったばかりの頃のように正直には話してくれなかったのではないかと思います。あの頃は、だれもが真実を求め、真実を待望し、真実を話してくれました。本を書き終わって初版が出版されて七─八年経ってからは、少しずつ自由や民主主義に慣れてきた人から手紙が来るようになったことを覚えています。彼女たちは以前証言したことにあれこれ言い足してくれたので私は本の新版を作ることにしました。「あのね、スヴェトラーナ、数年前はこんなことを話す覚悟がなかったの。生きてきた時代の影響がまだ強かったし。人は一瞬で自由になれるものではないでしょう？　だからあの時は話せなかったけど、（中略）やはり、世界に真実を、私たちが経験した本当のことを知ってほしくて……」と言っていました。それで私はたくさんの追加を行いました。でも今だったら、彼女たちはおびえてあまり話してくれないでしょうね。

だから、まだ人が自由を噛みしめていた時にあの本を書けて本当によかったです。自由というものの可能性に心震わせている人の声を聞けたので……。

[ユリイカ：四一—四二]

時代の証言

今は、こうした逆走する時代の様相、戦時下の記憶を、せめて書き残しておくことが大事なのではないでしょうか。

戦争開始から約二か月しか経っていない二〇二二年五月、『目撃者と証人――戦時の年代記』というロシア語反戦詩集がテルアビブのバーベリ出版社から刊行されました。ここには、ロシア系ウクライナ人のアレクサンドル・カバーノフ*[14]（一九六八年生まれ）、イスラエル在住でユダヤ系のリノール・ゴラーリク*[15]（一九七五年生まれ）、子供たちとジョージアに避難したロシア人のアンナ（アーニャ）・スタロビネツ*[16]（一九七八年生まれ）ら二八名の詩作品が収められています。タイトルが物語っているとおり、詩のアンソロジーでありながら、ドキュメントとしての側面を強く打ち出しています。長い小説に比べて、詩は即効性があるうえ、ソーシャルネットワークのおかげで瞬時に多くの読者のもとに届きます。戦争のような非常事態に、詩は適した形態と言えるかもしれません。

ニューヨーク在住の文芸評論家アレクサンドル・ゲニス（一九五三年生まれ）は、二〇二二年一二月、オンラインジャーナル『ノーヴァヤ・ガゼータ・エヴローパ』に寄稿したエッセイで、テオドール・アドルノ[*17]の有名なフレーズ「アウシュヴィッツの後で詩を書くことは野蛮である」を引いたうえで、「これまでいかなる悲劇や戦争も詩作を妨げたことはなかった。むしろ逆に、歴史的大異変こそが新しい詩文学を生みだしてきた」と述べ、このアンソロジーは今回の戦争への素早い意思表明だと述べています。

　このエッセイでさらに注目されるのは、ゲニスがこの詩集を今回の戦争による「初めてのタミズダート」だと言っていることです。「タミズダート」とは、語頭の「там《タム》」が「向こう（つまり国外）」を意味し、国内では出版できず国外に持ち出され出版された作品のことを指すソ連時代の用語です。ちなみに、ソ連国内で非公式にコピーを流布させた地下出版物を「サミズダート」と呼びました。「сам《サム》」は「自分で」を意味するため、「自主出版」と訳されたこともあります。ソ連時代の遺物だと思われていたサミズダートやタミズダートが、現代ロシアで蘇ってしまうとしたら、まさしくアレクシエーヴィチの言うとおり、「セカンドハンドの時代」へと後戻りしている証拠と言えるのではないでしょうか。

　詩集の裏表紙には、こう記されています。「詩人たちは、口もきけない麻痺状態を克服した。さまざまな声――怒りの声、恨みの声、痛みに満ちた声、皮肉な声が、いかめしい古代の合唱のように、来るべき裁きの場における告発の証拠のように響いている」。

ここで言う「来るべき裁きの場」とは、ハーグの国際司法裁判所でなされるはずのロシアの戦争犯罪を裁く法廷を念頭に置いているようです。ドキュメントとしての詩の機能が重視されたアンソロジーだということがうかがわれます。

この詩集に参加した詩人の一人、ゴラーリクが、これとは別に、二〇二二年三月にイスラエル、ジョージア、アルメニア、トルコをめぐり、ロシアを脱出した人びと、いわゆる「ロシア・ディアスポラ」の証言を集め、自身のサイトに掲載・公開しています。これはアレクシエーヴィチの仕事とも響き合う、注目すべき試みです。旧約聖書の「出エジプト記[*18]」になぞらえて「出ロシア記（エクソダス）—22」と名づけられているのですが、ゴラーリクは、「現在のような戦時下にあっては、戦争や弾圧、暴力、プロパガンダに日々休みなく抵抗することこそが、人間として最高の偉業の一つだと思う」と述べています。

もう一つ、戦時下のドキュメントとしての試みを挙げるなら、ウクライナの詩人オスタップ・スリヴィンスキー[*19]（一九七八年生まれ）の『戦争語彙集』が、戦争開始直後のウクライナの人びとのさまざまな声を伝えています。著者は、リヴィウで聞きとった話の中からキーワードを選び出し、言葉が変容にさらされているさまを提示しています。そのキーワードをアルファベット順に並べた「辞典」という体裁がユニークですが、時代を記憶するための証言集という形式からして、アレクシエーヴィチの仕事と共鳴していると言えるでしょう。

いま、戦争という非日常のさなかで、証言であれ、詩であれ、人びとの声を「記録＝記憶」として書き残すことこそが、戦争のドキュメントとしてきわめて重要だという認識が共有されているのだと思います。

アダプテーションの例

アレクシエーヴィチの『戦争は女の顔をしていない』は、物語《ナラティヴ》の種の宝庫と言ってもいいような作品です。語られたエピソードからその人の生涯全体を想像してみたくなるような、あまりに過酷で辛いけれど、かけがえのない人生の断片が、次から次へと提示されているからです。

第4章でも触れましたが、ここでは、この作品中の証言にインスピレーションを得て、見事な芸術的ディテールを与え、別のジャンルに移し変えたアダプテーションの例を一つだけご紹介しましょう。

二〇一九年にロシアで製作されたカンテミール・バラーゴフ[*20]（一九九一年生まれ）監督の映画『戦争と女の顔』です。バラーゴフは、作家アレクサンドル・チェレホフ（一九六六年生まれ）とともに脚本を書き、二人の元女性兵士の繊細な感情描写やドラマティックな筋立てにより、完成度の高い芸術作品に仕立て上げました。二〇一九年のカンヌ国際映画祭の「ある視点部門」で国際映画批評家連盟賞と最優秀監督賞を受賞しています。

物語の舞台は一九四五年秋、ナチス・ドイツによる封鎖からようやく解放された終戦直後のレニングラード。戦争によるＰＴＳＤ（心的外傷後ストレス障害）を抱えて病院で働くイーヤ（「のっぽ」と呼ばれています）は、高射砲射撃手の戦友だったマーシャの幼い子供を預かっていたのですが、発作を起こしたことが原因でその子を死なせてしまいます。マーシャも心身に深い傷を負っており、もう子供を身ごもることのできない身体です。

バラーゴフ監督が描きたかったのは、戦争のリアルでも生活の苦しさでもなく、あくまでもトラウマを抱えた二人の関係だったのではないかと思います。イーヤはマーシャに恋心を抱いていますが、マーシャは生きていくための「よりどころ」となる子供が欲しいと強く願い、自分の代わりにイーヤに子どもを産んでもらおうとします。

映画のもとになっていると思われるのは、アレクシエーヴィチの『戦争は女の顔をしていない』に登場するワレンチーナ・チュダーエワの証言です。彼女は一九歳で志願し、父の戦死の知らせを受けて「仇を討つために」高射砲部隊の指揮官となって前線に行きました。「母なるヴォルガ川が赤い色だった」という言葉が戦闘の壮絶なさまを伝えています。チュダーエワ軍曹は、重傷を負いながらも一命をとりとめ、やがて終戦を迎えて、故郷に戻ってきます。

初めは喜び、そのあとは恐ろしいことになった。軍隊以外の社会で何ができるっていうの？　平和な日常への不安……（中略）何の技術もないし、何の専門もない。知っているのは戦争だけ、できるのは戦争だけ。

戦争とは早く縁を切りたかった。軍外套を普通の外套に縫い直し、ボタンを付け替えた。使っていた軍靴は市場で売ってパンプスを買った。初めてワンピースを着た時には涙にくれたものよ。鏡を見ても自分だと思えなかった。四年間というものズボンしかはいていなかったからね。

［戦争：一八二］

バラーゴフ監督は、この場面にとくに感銘を受けて映画化を思い立ったそうです。映画では、鮮やかな緑色のドレスを着たマーシャが、自分で自分を止めることができず、鏡の前でいつまでも回転する印象的なシーンになっています。

彼女は最初、夫の仇を討つためにドイツまで進軍した勇敢な元兵士という触れ込みで観客の前に現れますが、党幹部の息子と結婚することになり、その母親に挨拶に行ったとき、心ない言葉を投げつけられ、やぶれかぶれのように「たしかに自分は戦地妻だった」とぶちまけます。

『戦争は女の顔をしていない』の読者なら、女性兵士たちが、戦後長い間、世間から白い目で見られ、男性よりもむしろ銃後の女性たちからひどい扱いを受けたこと、口を閉ざしてひっそりと生きなければならなかったことを知っています。元兵士の女性たちは「あばずれ」と見なされて差別され、歴史の裏側へと追いやられたのです。

映画では、マーシャが本当に男目当てで戦場に行ったのかどうかということはわからずじまいです。ここには、証言というものが持つ「虚構の可能性」「曖昧性」が浮き彫りにされているように思います。どのような証言にも、真実と虚構がないまぜになっている可能性があると同時に、現実の姿というものは、語り手の主観というプリズムを通して見る相対的な一側面にすぎない、ということをあらためて思い起こさせます。

とはいえ、先の証言者チュダーエワが、終戦の瞬間に次のように感じたというのは、まぎれもない、嘘偽りのない真実だったのではないでしょうか。

私たちは地上に永遠の平和が訪れるような気がしていた。誰も二度と戦争を欲するものはない、武器兵器はすべて廃棄されるはずだ、私たちは憎むことに疲れてしまったんだから、弾を打《ママ》つことに疲れていたんだから。

［戦争：一八二］

なお、二〇二二年二月に戦争が始まった直後、ロシアのカバルダ・バルカル共和国出身のバラーゴフ監督は、『戦争と女の顔』のプロデューサーを務めたウクライナはキーウ出身のアレクサンドル・ロドニャンスキー*21（一九六一年生まれ）とともに戦争反対を表明し、ロシアを出国しました。

作家の使命

最後に、もう一度アレクシエーヴィチに戻り、戦時下という現在の緊迫した情勢において、作家に役割や使命があるとしたら、それは何か、という質問をしたときの、彼女の答えを聞いていただきましょう。少し長くなりますが、引用します。

「作家や知識人は自分のことに集中していればいい、戦いの現場に加わったり、社会運動に加わったりすることはない」という考え方が広く支持されていた時期もあったのです。私たち作家が民衆とともにあった時代はもう終わったのだ……。ところがどうでしょう、私たちのベラルーシで革命が起きた際（注：二〇二〇年の大統領選挙のときのこと）、その先陣を切っていたのは作家たちでした。そして作家の言葉というのは、今日のウクライナそして世界中で、非常に重要になってきています。

今も私は本を書き続けているんです。というのも、はじめベラルーシの革命について書いていたのですが、それだけで完結してしまったら、まるで「赤い人」はもう過去の話だと言わんばかりになってしまうと思って。でも彼らは消えてなどいなかった。現に目の前にファシズムが、ロシアのファシズムがちらついています。すでに戦争を始め、血を流しているのです……。私たち作家はもはや傍観してはいられないし、他人事のようにふるまうこともできません。軽い気楽な小説など書いている場合ではない、そんなことはもう不可能なんです。闘いに加わらなければなりません。これは私の意見であって、作家の中には、そんなことする必要はないという人もいるかもしれません。でも私は、かつてアフマートワが言ったように「私は私の民とともにあった」と思っていますし、だからこそ本の続きを書くことに決めたのです。第一部はベラルーシの革命、第二部はこのウクライナでの戦争を扱います。「赤い人」がどのように変貌したかを追うということです。私たちは、「赤い人」が何か変貌を遂げて民主的に生まれ変わり、自由な人間になるのだとばかり思っていました。ところがふたを開けてみたら、そこにいたのは攻撃的で、全世界を脅かす人間だったというわけです。

［ユリイカ：四三］

ここに名前の出てきたアンナ・アフマートワ（一八八九―一九六六）とは、二〇世紀のロシアを代表する優れた詩人の一人です。スターリン時代に、逮捕された息子がレニングラードの中継監獄にいたとき、彼女は一七か月の間、差し入れを持って行列に並びました。あるとき、後ろに並んでいた「蒼ざめた唇の女」に耳元でこう囁かれました。

「で、このことをあなたは書けますか？」

そこで私は言った。

「書けます」

すると、何か微笑みのようなものが、かつて彼女の顔だったものをよぎった。

これは、アフマートワの畢生の大作『レクイエム』の「序にかえて」に書かれている光景です。彼女は、凄惨な運命に見舞われ虐げられた人たちや、息子や夫のために辛抱強く待ち続ける女性たちの代弁者として作品を書くことを宣言したのです。

先に引いたインタビューで、アレクシエーヴィチもアフマートワと同様、苦しみにもがく人びとに寄り添って書き続ける覚悟を語っています。これまでの作品と同様、人びとの証言から成る本を計画し、第一部でベラルーシの圧政のもとで喘ぐ人たち、第二部でロシアの暴挙に怒り苦しむウクライナの人たちの声を聞き取り、それを紡いで、二部構成の作品を作るつもりだといいます。

アレクシエーヴィチは、ジャーナリストとして仕事を始めた人で、当初から政治問題にもコミットする「社会派」の作家でした。彼女自身が語っているとおり、文学にはさまざまな形態や方法、さまざまな内容の作品があり得ますし、だれもが社会的なテーマをジャーナリスティックに取り上げなければならないと考える必要は、もちろんないでしょう。作家に社会的な使命などない、という立場もあれば、文学に「文学」以上のものを負わせてきたことこそロシア語文学の悪しき伝統だという立場もあり得ると思います。

一方で、ロシア・ソ連が政治的な磁力の強く働く「磁場」であり続けてきたこと、歴史や社会と鋭く切り結ぶ優れた文学作品を数多く生み出してきたことも事実です。また、どれほど政治から離れているように見える作品でも、時代の陰影をまったく映し出さないものはないでしょう。

アレクシエーヴィチは、世界文学における自分の文学の位置をよく見極めたうえで、たとえ戦争を作家の力で止めることはできなくても、せめて戦争によって苦しんでいる人たちに共感し、戦争に反対する声をあげ、時代の証言を後世に残すことを自らの使命であり生きる証でもあると心得ているのだと思います。

■本章は、沼野恭子「ロシア知識人の苦悩――カインは何度アベルを殺すのか」（『現代思想』ウクライナ特集、二〇二二年六月臨時増刊号、二〇九―二一八ページ）、沼野恭子「新たな「記録文学」は生まれるのか――最新ロシア語文学事情」『學士會会報』第959号（二〇二三-Ⅱ、三月一日刊行、三六―四一ページ）、沼野恭子「戦争と文学2022」『文藝年鑑'22』（二〇二三年六月二九日刊行、六六―六九ページ）と、それぞれ内容が少し重なるところがあることをお断りしておきます。

＊1　「メモリアル」
一九八九年に創設されたロシアの人権団体。ロシア各地に支部を持ち、ソヴィエト時代とくにスターリン時代に粛清や弾圧を受けた人びとをめぐる記録や記憶を収集・編纂・公開する活動をおこなった。しかし、二〇一四年に司法省により「外国エージェント」と認定され、二〇二一年には閉鎖の決定が下された。二〇二二年ノーベル平和賞を受賞。

＊2　ドミートリー・ブィコフ、奈倉有里編訳「戦争という完全な悪に対峙する――ウクライナ侵攻に寄せて」https://note.com/iwanaminote/n/n3d5608b53e10　二〇二四年五月一五日閲覧。

＊3　創世記
『旧約聖書』の第一書。その物語からはさまざまな教訓や教義が引き出されてきた。全五十章のうち第十一章までが神による世界の創造と人間の堕落についての物語で、カインとアベルのエピソードは第四章に収められている。

＊4　https://www.theguardian.com/world/2022/mar/05/eminent-writers-urge-russian-speakers-to-tell-truth-of-war-in-ukraine　二〇二四年五月一五日閲覧。

＊5　J・M・クッツェー
一九四〇〜。南アフリカ・ケープタウン出身の作家・批評家。「世界文学」の旗手の一人に数えられる。『マイケル・K』『恥辱』でブッカー賞を二回受賞。二〇〇二年よりオーストラリアに住む。二〇〇三年、ノーベル文学賞受賞。ほかに主な作品として『石の女』『サマータイム』『イエスの幼子時代』など。

＊6　ボリス・アクーニン
一九五六〜。ジョージア（当時はソ連グルジア共和国）出身の作家・日本文学研究者で、本名はグリゴリー・チハルチシヴィリ。三島由紀夫などのロシア語翻訳を手掛けた。探偵小説「ファ

ンドーリンの捜査ファイル」シリーズで一躍ベストセラー作家に。プーチン政権に反対の立場を表明して二〇一四年にロシアを出国。ロシア司法省によって「外国エージェント」と指定されている。

＊7　ドミートリー・グルホフスキー

一九七九年〜。SF作家、脚本家、ジャーナリスト。モスクワに生まれる。十七歳からイスラエルで学び、ヘブライ大学卒業。大学在学中に書いたSF近未来小説『メトロ２０３３』がベストセラーとなり、ゲーム化もされた。早くから強権的なロシア政府に批判的で、二〇二二年にウクライナ侵攻を批判したのをきっかけに指名手配された。ロシア司法省によって「外国エージェント」と指定されている。

＊8　ウラジーミル・ソローキン

一九五五年〜。モスクワ州出身の作家。一九八〇年代に、ソヴィエトの公式の文学ではタブーとされていた性や暴力の描写で衝撃を与え、ソ連崩壊後は新しい文学潮流を担ったポストモダンの代表的作家と評される。政府に批判的な立場を取りつつ、ベルリンとモスクワを行き来しながら執筆や批評を続けている。一九九九〜二〇〇〇年、日本に滞在し、東京外国語大学講師を務めた。ロシア司法省によって「外国エージェント」と指定されている。

＊9　リュドミラ・ウリツカヤ

一九四三〜。作家。現在のロシア連邦バシコルトスタン共和国に生まれる。モスクワ大学で遺伝学を専攻し、遺伝学研究所で働いたあと、子供向けの作品から文学活動をスタートさせた。一九九二年に発表した『ソーネチカ』で世界的な知名度を獲得。いまや彼女の作品は数多くの言語に訳され、ロシアの現代文学を代表する作家の一人となっている。二〇二二年、ロシアによるウクライナ侵攻を批判してベルリンに移住。ロシア司法省によって「外国エージェント」と指定されている。

＊10　ミハイル・シーシキン

一九六一〜。作家。モスクワ出身。一九九三年の『皆を一夜が待っている』で文芸誌「旗」最優秀デビュー作賞を受賞。その後、ロシア・ブッカー賞、国民的ベストセラー賞、ボリシャーヤ・クニーガ賞などロシアの代表的な文学賞をすべて受賞するという快挙を達成。一九九五年よりスイス・チューリッヒに住み、ドイツ語でも執筆。かねてからロシア政府の強権政治を批判しており、ウクライナ侵攻を非難する公開書簡に署名した。

＊11　アレクサンドル・ゲニス

一九五三〜。ノンフィクション作家、コラムニスト、文芸評論家。リャザンに生まれ、ラトヴィアのリガで育った。ラトビア大学を卒業後、米国ニュージャージー州に移住。ロシア語放送のラジオ局「自由」を拠点に活動し、自由主義の立場からロシア文化批評のノンフィクションを数多く手がけた。日本語訳に『亡命ロシア料理』（ピョートル・ワイリとの共著）がある。

＊12　『一九八四年』

イギリスの小説家ジョージ・オーウェル（一九〇三〜五〇）が晩年の一九四九年に著したＳＦディストピア小説。作者自身はどこの国でも現れうる全体主義的抑圧体制への警告として著したが、イギリスや米国では反共主義の聖典として熱狂的に読まれた。舞台は一九八四年、主人公の住む国は独裁者によって支配され、市民は街じゅうに仕掛けられたマイクによって二四時間監視されている。単語や文法を極端に単純化した新たな言語「ニュースピーク」や思想統制の原理「ダブルシンク（二重思考）」など、さまざまなアイデアがその後の文学に大きなインスピレーションを与えた。

＊13

インターネットの規制が強まっているロシアでは、二〇一九年に「主権インターネット法」が施行され、有事の際などにインターネット通信を遮断・制限する連邦法が発効した。実際に、ウクライナ戦争開始後、各ＳＮＳへのアクセスが遮断された。

＊14　アレクサンドル・カバーノフ
一九六八〜。ウクライナ・ヘルソン出身のロシア語詩人。キーウ国立大学ジャーナリズム学部卒業。文化雑誌『ШО《ショー》』編集長。これまで十冊以上の詩集を刊行し、国際的な文学賞を多数受賞。クリミア併合以後、ロシア語で平和を訴える詩を書き続けている。キーウ在住。

＊15　リノール・ゴラーリク
一九七五〜。ウクライナ・ドニプロ出身のロシア語詩人。一九八九年にイスラエルに移住。一九九九年に初めての詩集を刊行、二〇〇〇年よりモスクワに住んで詩作や翻訳など旺盛な文学活動を開始した。二〇一四年、クリミア併合を機にイスラエルに戻る。ロシア司法省によって「外国エージェント」と指定されている。

＊16　アンナ（アーニャ）・スタロビネツ
一九七八〜。ホラー、ＳＦ、児童向けファンタジー作家。モスクワ大学を卒業後、いくつかの新聞社でジャーナリストとして働きながら小説を執筆。二〇一八年、ヨーロッパＳＦ協会賞最優秀作家賞を受賞した。その作品は外国語にも翻訳されて国際的な人気を得ている。二〇二二年、ウクライナ侵攻が起こると二人の子供とともにジョージアに居を移した。日本語訳に短編集『むずかしい年ごろ』がある。

＊17　テオドール・アドルノ
一九〇三〜六九。哲学者・社会学者。ユダヤ系であったため、ナチスが政権を取ると迫害を恐れて一九三〇年に出国。やがて米国に移る。ドイツで同僚だったホルクハイマー（一八九五〜一九七三）との共著『啓蒙の弁証法』（一九四七）において、最高の知的段階に達したかに見えた文明がなぜナチスのような野蛮に逆転したかを省察。戦後はドイツに戻り、旺盛な執筆活動でフランクフルト学派の全盛期を築いた。

＊18　出エジプト記
『旧約聖書』の第二書。エジプトで虐げられていたユダヤ人がモーセに率いられて脱出する物語

が描かれる。預言者モーセはユダヤ人を率いてカナンの地を目指すよう神のお告げを得る。エジプト王の妨害を退け、紅海を渡ってシナイ山に到達したモーセとユダヤの民は、そこで神から十戒を授かる。ユダヤの「神に選ばれた民」という信仰の典拠として重要な書。

＊19　オスタップ・スリヴィンスキー
一九七八〜。ウクライナの詩人、翻訳家。ウクライナ西部のリヴィウに生まれる。いくつかの詩集を発表してるほか、ポーランド語、英語、ブルガリア語などのテクストのウクライナ語への翻訳を手掛ける。二〇一四年にはポーランド文化功労勲章を受章。ロシアによる侵攻後、リヴィウに身を寄せた避難民たちから聞いたエピソードをまとめ、『戦争語彙集』を刊行。

＊20　カンテミール・バラーゴフ
一九九一〜。ロシアの映画監督。ロシア連邦カバルダ・バルカル共和国ナリチクに生まれる。巨匠ソクーロフ監督に師事。二〇一九年の『戦争と女の顔』がカンヌ国際映画祭で国際映画批評家連盟賞と監督賞を受賞し、ロシアの若手監督として世界的な注目を浴びた。二〇二二年にウクライナ侵攻が始まると、ウクライナ支持を公言してロシアを出国。現在、米国在住。

＊21　アレクサンドル・ロドニャンスキー
一九六一〜。ウクライナの映画・テレビ業界の中心人物。キーウ出身。一九九五年にテレビ局「1+1」を創設。プロデュースした映画作品はアカデミー賞に何度もノミネートされ、カンヌ国際映画祭で複数回の受賞歴がある。ロシアによるウクライナへの軍事侵攻に反対の立場を貫いており、ロシアの現政権を批判しつつ、早急な和平を訴えている。ロシア司法省により「外国エージェント」に指定されている。

関連略年譜（▼）……アレクシエーヴィチに関連する事項

1905	1月、首都サンクトペテルブルクでロシア革命の発端となる「血の日曜日事件」が起こる
1914	第一次世界大戦勃発（～1918）
1917	2月、首都ペトログラードで反乱を起こした労働者と兵士により革命が起こる。これにより300年続いたロマノフ王朝は転覆され、ロシア帝国は崩壊（二月革命）。次いで臨時政府が成立した。10月、それに対して労働者・兵士代表ソヴィエトを基礎にレーニンを首班とするボリシェヴィキ政権が成立、臨時政府を打倒し、史上初の社会主義政権が誕生した（十月革命）
1922	4月、スターリン、ソ連共産党書記長に。12月、ソヴィエト社会主義共和国連邦（以下「ソ連」）成立
1924	1月、レーニン死去
1929	2月、トロツキーが国外追放される
1931	9月、満州事変起きる
1933	1月、ドイツ、ヒトラーが政権掌握、翌年「総統」に就任
1934	9月、ソ連、国際連盟に加入。スターリンによる粛清多発。以降、30年代後半にかけて「反革命者」とされる人々が多数殺害される
1936	12月、1924年憲法の改正として「スターリン憲法」が制定される
1937	スターリンによる「大粛清」ピークに。共産党幹部や党内の不純分子の排除だけでなく、多くの市民や芸術家・作家も不当逮捕され、強制収容所へ送致されたり、処刑されたりした

1985	3月、チェルネンコ死去、ゴルバチョフが書記長に就任。ロシア語で「建て直し、再編」を意味するペレストロイカ始まる。政治・経済改革やグラスノスチ（情報公開）、言論の自由化などを含む **▼『戦争は女の顔をしていない』刊行（邦訳2008）、第二次世界大戦を子どもの目線から描いた『最後の証人たち』（邦題『ボタン穴から見た戦争』）刊行（邦訳2000）**
1986	4月、チェルノブイリ原発事故発生。放射性物質は旧ソ連領を越え、ヨーロッパ諸国、さらには日本を含む北半球の大部分に達した。ウクライナ、ベラルーシ、ロシアの被災汚染地域である約15万平方キロメートルの地には500万人以上の人が生活している
1991	12月、ソ連邦崩壊、ベラルーシ、ウクライナなどが独立国家に **▼『亜鉛の少年たち』（邦題『アフガン帰還兵の証言』）刊行（邦訳1995）。アフガニスタン侵攻後の10年間、ソ連各地から戦地に送られた兵士のほか、わが子や夫を失った女性たちの証言集**
1993	**▼『死に魅入られた人びと』刊行（邦訳2005）。ソ連崩壊により新しい社会に放り出され自殺せざるを得なかった無名の人々の記憶を呼び起こし、社会主義国家とは何だったのかを問うた作品**
1997	**▼『チェルノブイリの祈り』刊行（邦訳1998）。ウクライナ・ソヴィエト社会主義共和国で起きた原子力発電所事故の遺族や被災者を取材**
2000	**▼ベラルーシを出国、イタリア、フランス、ドイツなどヨーロッパ諸国を転々とする。1回目の来日**
2001	9月、アメリカで同時多発テロ
2003	3月、アメリカの軍事介入によりイラク戦争始まる。正規軍による大規模戦闘は5月に終結（正式な終結宣言は2011年） **▼チェルノブイリ支援団体の招聘により、2回目の来日**
2011	**▼ベラルーシに帰国**

1939	8月、独ソ不可侵条約締結。 9月、第二次世界大戦勃発(〜1945)
1941	6月、ドイツが独ソ不可侵条約を破棄、独ソ戦(「大祖国戦争」)始まる
1948	**▼ソ連ウクライナ共和国イヴァーノ・フランキーウシクに生まれる**
1949	毛沢東率いる共産党が蔣介石率いる国民党との内戦に勝利。 10月、中華人民共和国成立
1953	3月、スターリン死去
1956	2月の第20回党大会でフルシチョフがスターリン批判を展開
1964	10月、フルシチョフ失脚、ブレジネフ体制へ
1972	**▼ベラルーシ国立大学ジャーナリズム学部を卒業**
1973	**▼「農村新聞」に勤務(〜1976)**
1976	**▼「ニョーマン」誌に勤務。ルポルタージュ・評論部長を務める(〜1984)**
1978	**▼従軍女性兵たちに取材を始める**
1979	12月、ソ連がアフガニスタンへ侵攻
1982	11月、ブレジネフ死去、アンドロポフ体制へ
1984	2月、アンドロポフ死去、チェルネンコ体制へ
2013	**▼『セカンドハンドの時代』**刊行(邦訳2016)。**ソ連崩壊後の社会状況を、思想や言葉の何もかもが「使い古し(セカンドハンド)」である時代として捉え、社会主義国家ソ連とは何だったのかを検証しようと試みた**
2015	**▼ノーベル文学賞を受賞**
2016	**▼11月、3回目の来日。福島県を訪問。同月、東京外国語大学で名誉博士号を授与され、講演。東京大学でも対話イベントに登壇**
2020	8月、ベラルーシ大統領選挙でルカシェンコが六選。これを不正とみた市民が大規模デモを繰り広げ、26年間も続くルカシェンコ長期政権に抗議する「政権移譲調整評議会」が設置される。 **▼8月、「政権移譲調整評議会」の幹部に就任。9月、ふたたび出国を余儀なくされ、ドイツに移る**
2021	**▼8月、アレクシエーヴィチが会長を務めていたベラルーシ・ペンセンターの清算を最高裁が決定(組織は有志により存続)**
2022	2月24日、ロシアがウクライナに軍事侵攻を開始 **▼3月、ほかのノーベル賞受賞者らとともにロシアの侵攻を非難する書簡を発表。** 9月、プーチン大統領が最大30万人の予備役を招集する部分動員令を発表しロシア国民の国外脱出が相次ぐ。ロシアがウクライナの東部・東南部4州の併合を一方的に決定。ウクライナがNATO加盟を正式申請。 10月、ベラルーシの人権活動家、ロシアおよびウクライナの人権団体がノーベル平和賞を受賞
2023	3月、ロシアとベラルーシがベラルーシ領内に戦術核兵器を配備することに合意。搬入開始
2024	2月、ルカシェンコが25年ベラルーシ大統領選七期目への出馬を表明。 3月、ロシア大統領選でプーチンが五選

読書案内

◉スヴェトラーナ・アレクシエーヴィチ『戦争は女の顔をしていない』三浦みどり訳、群像社、二〇〇八年／岩波現代文庫、二〇一六年

本書でここまでご紹介してきたとおりです。

◉スヴェトラーナ・アレクシエーヴィチ『ボタン穴から見た戦争——白ロシアの子供たちの証言』三浦みどり訳、群像社、二〇〇〇年／岩波現代文庫、二〇一六年

日本語タイトルは、頭にかぶったコートのボタン穴から空爆の様子を見ていた、という少女の話をもとにしていますが、原著のロシア語タイトルは「最後の証人たち」といい、『戦争は女の顔をしていない』と同じく一九八五年に出版されました。こちらは、戦時中幼い子供だったベラルーシの一〇一人の証言を集めたものです。

ベラルーシは、独ソ戦が始まるやナチス・ドイツに占領され、支配されていた間に六百以上もの村が住民とともに焼き払われるという、筆舌に尽くし難い壮絶な悲劇に見舞われました。ベラルーシの全住民の三分の一が「大祖国戦争」の犠牲になったと言われており、この本には、生涯消えることのない痛々しいトラウマが無数に刻まれています。文字どおり「小さな人間」である、子どもたちの目に戦争はいったいどのように映ったのかが語ら

れている貴重な証言集です。

なお日本語版は、訳者が著者の許可を得て、読者の便宜のために、証言の配列を時系列に沿った形に大幅変更しています。


◉スヴェトラーナ・アレクシエーヴィチ『亜鉛の少年たち　アフガン帰還兵の証言［増補版］』 奈倉有里訳、岩波書店、二〇二二年

一九七九年「国際友好」の名のもとにソ連軍が侵攻して始まったアフガン戦争は、泥沼化して十年も続きました。その間、毎年十万人もの若い兵士が前線に送られたと言います。この本は、帰還兵、母親、看護師らの証言集で、はじめに単行本として刊行されたのは一九九一年、ソ連崩壊直前のことでした（この本を底本とした日本語訳は『アフガン帰還兵の証言――封印された真実』三浦みどり訳、日本経済新聞社、一九九五年）。タイトルは、見るに耐えない遺体（の一部）が亜鉛製の密閉された棺に納められて戻ってきたことをあらわしていますが、おぞましい侵略戦争のメタファーでもあり、また「不都合な真実」として存在すら封印されてしまった兵士らの無念をも暗示しているでしょう。

衝撃的なのは、政情の変化によりアフガンで戦った兵士たちが「英雄」扱いされなくなり、帰還兵や遺族が名誉棄損でアレクシエーヴィチを裁判に訴えたことです。著者は、そのときの新聞記事や裁判記録などを証言集に追加して、一九九四年に増補版を発表しました。この日本語訳は、それらを含む二〇一六年の増補版を底本にしています。

◉スヴェトラーナ・アレクシエーヴィチ『［完全版］チェルノブイリの祈り——未来の物語』松本妙子訳、岩波書店、二〇二一年

一九八六年四月二六日に起こったチェルノブイリ（チョルノービリ）原子力発電所事故に関係した人たちの話をまとめた証言集です。消火活動のために被曝して亡くなった消防士の妻、事故処理作業員、被災者、立ち入り禁止区域に住み続ける人〈サマショール〉。これらの人びとの声に混じって、アレクシエーヴィチ自身が「当事者」として証言をしているのが特徴です。また、人間のようには話せないけれど、人間と同じく被害を受けた動物たちにも、著者は深い同情を寄せています。

当初、だれもが原発事故を戦争とのアナロジーで語っていたけれど、これは過去のいかなるものとも比べることのできない、未来に向けた「謎」であるとアレクシエーヴィチは言います。フクシマというチェルノブイリと同様の重大事故を経験した私たちにとってもけっして他人事ではありません。

原著は最初一九九七年に単行本が出ましたが、かなり加筆されて二〇一六年に増補版が刊行されました。日本語訳はこの増補版を底本にしています。

◉スヴェトラーナ・アレクシエーヴィチ『セカンドハンドの時代——「赤い国」を生きた人びと』松本妙子訳、岩波書店、二〇一六年

ソ連時代末期からソ連崩壊後にかけての過酷な現実に苦しみ、絶望した人びとの話が多数、記録されている証言集です。「社会主義に向かってすっとばしていた列車から、資本主

義をめざしてぐんぐん走る列車へ、みんながさっと乗り換えている。わたしは乗り遅れそう」という女性医師の言葉が象徴的です。弱肉強食の市場経済に適応できなかった人たちの声が渦巻いています。

新しい世界に馴染めず、せっかく手に入れた「自由」を手放して、古い価値観にすがるさまを、著者は「使い古し（セカンドハンド）」と呼びました。すべてがいつか見た光景に後戻りしていく時代だというのです。

でも、現代はもっと加速度的に逆走しているように思えてなりません。この本は、五部作「ユートピアの声」の完結編になっており、五つの作品を通して、アレクシエーヴィチが「赤い国」と呼ぶソ連の共産主義社会とはいったい何だったのかを問うています。

日本語訳は、二〇一三年版を底本にしています。

◉スヴェトラーナ・アレクシエーヴィチ／鎌倉英也／徐京植／沼野恭子『アレクシエーヴィチとの対話——「小さき人々」の声を求めて』岩波書店、二〇二一年

鎌倉英也・徐京植・沼野恭子の三人によるアレクシエーヴィチとの「対話」と考察を収めた本です。長年にわたってNHKで何度もアレクシエーヴィチのドキュメンタリー番組を作ってきたディレクターの鎌倉は、彼女とソ連各地や福島を訪れ、密着取材を重ねてきました。彼女の作品に登場した証言者たちの「その後」を追い、取材やロケ時の記録をたどった圧巻のドキュメントが、本書全体の六割以上を占め、読み応えがあります。

作家の徐は、二〇〇〇年と二〇一六年の二度にわたり、強権政治に抑圧される「小さき

人々」や自由をめぐる問題、原発事故後の世界などについて、アレクシエーヴィチと対談をおこないました。〈ソ連・ベラルーシ〉と〈日本・朝鮮〉をオーバーラップさせた二人の思索のプロセスが浮かびあがってきます。

ほかに、アレクシエーヴィチの文学性についての沼野の論考、アレクシエーヴィチのノーベル文学賞受賞講演などを収めた本書には、全編にアレクシエーヴィチ自身の声が響きわたっています。

◉サーシャ・フィリペンコ『赤い十字』奈倉有里訳、集英社、二〇二一年

国際的な注目を集め、アレクシエーヴィチも才能を認めているベラルーシの若手ロシア語作家の小説です。第二次世界大戦時、スターリン率いるソ連では、ドイツの捕虜になった人は「裏切り者」と見なされ、人道的な扱いを受けられませんでした。帰国したソ連人捕虜たちは国内の収容所に送られ、その存在自体が闇に葬られてタブーとされたのです。

フィリペンコ（一九八四年生まれ）のこの小説は、戦時下、ソ連外務省で働いていたタチヤーナが、赤十字から送られてきた捕虜名簿の中に偶然、夫の名前を見つけるところから「過去の物語」が展開していきます。ソ連側は、赤十字の再三の通告を無視して、捕虜を「見殺し」にします。一方、若い主人公サーシャは、不幸な「現在の物語」を抱えているのですが、タチヤーナの経験つまり自国の歴史を共有していきます。ドキュメンタリーの要素とフィクションが見事に融合し、さらに過去と現在が交錯した、立体的な構成の佳作です。

◉アリス・ボータ『女たちのベラルーシ——革命、勇気、自由の希求』岩井智子・岩井方男訳、越野剛監修・解説、春秋社、二〇二二三年

二〇二〇年のベラルーシ大統領選に端を発した民主化運動に関する、ポーランド系ドイツ人ジャーナリストによるルポルタージュ。きっかけとなったのはコロナ・パンデミックに対してルカシェンコ大統領があまりに非人間的な酷い対応をとったこと、それまで政治に無関心だった多くの人たちが目覚めて変貌したこと、運動の矢面に立つことになった「主婦」のスヴェトラーナ・チハノフスカヤらが素晴らしい個性の持ち主であること、人びとがどんなふうに連帯したかということなどが、丹念な取材をもとに詳述されています。

ルカシェンコの対抗馬となるはずの男性野党政治家たちが逮捕されたため、女性たちが主体となって選挙の不正を訴え、大規模なデモを平和裏におこないました。もちろん男性も参加しましたが、じつに多くの女性たちが花を持って街頭に繰り出し、反体制のシンボルとなった「白・赤・白」の旗をはためかせて抗議活動を繰り広げました。このときの市民運動は「女の顔をしていた」のです。

◉石川達夫（編）／貝澤哉／奈倉有里／西成彦／前田和泉『ロシア・東欧の抵抗精神』成文社、二〇二三年

二〇二二年秋におこなわれた日本ロシア文学会のプレシンポジウムにおける発表をもとに、加筆され単行本化された論集です。貝澤哉（ロシア）、前田和泉（ロシア）、奈倉有里

（ベラルーシ／ウクライナ）、西成彦（ポーランド）、石川達夫（チェコ）の各氏が、凶暴な弾圧を繰り広げる政治権力に対して、それぞれの地域の詩人・作家・知識人らがどのような抵抗をし、どう闘い、あるいは敗れたか、その意味は何だったのか等を論じています。

アレクシエーヴィチと関係の深いベラルーシやウクライナの事情は日本であまり知られていませんが、本書では「銃殺された文学」（ベラルーシ）と「銃殺された文芸復興」（ウクライナ）と題する論考が、一九二〇―三〇年代に吹き荒れた粛清と現代文学をさまざまな形で接続させつつ、貴重な情報を提供しています。

ロシア・東欧地域の文学者たちのはてしない受難の歴史に心傷めずにはいられません。

◉オスタップ・スリヴィンスキー作、ロバート キャンベル訳著『戦争語彙集』岩波書店、二〇二三年

二〇二二年二月二四日にロシア軍がウクライナに侵攻した直後、詩人のスリヴィンスキーは、ウクライナ西部の町リヴィウで避難してきた人たちを迎えるボランティア活動をしました。そのときのやりとりを書き留め、一つの話から一つキーワードを選び出し、「辞書」のようにアルファベット順に並べたのがこの本の前半です。

そこでは、多くの言葉が意味を変化させています。たとえば、〈バスタブ〉という言葉は、「入浴する場所」ではなく、「家の中で唯一の安全な場所」という意味になり、〈キノコ〉は、森に生えているものではなく、「爆撃によって立ちのぼるキノコ雲」を意味しているのです。

この辞書に感銘を受けた日本文学者のキャンベルが、ウクライナ語から英語を介して「語彙集」として日本語に訳し、さらに著者や証言者たちをウクライナに訪ねてルポルタージュを書き、この本の後半に収めました。語彙集とルポが互いに補完し合い、貴重な〈時代の記録〉となっています。

謝辞

Ｅテレ「１００分de名著」の指南役（講師）の件は、ＮＨＫエデュケーショナルのプロデューサー秋満吉彦さんにご提案いただきました。『戦争は女の顔をしていない』について「これまで感じたことがないような、ここ十年間で最も心揺さぶられた読書体験」だったと語る秋満さんと、その感動をテレビというメディアで再現してくださったテレコムスタッフの今井亜子さんはじめスタッフの方々に、心より感謝申し上げます。

また、番組テキストの編集を担当してくださったＮＨＫ出版の福田直子さんのきめ細かいお仕事ぶりには、大変感銘を受けました。心からお礼申し上げます。構成の丸山こずえさんにもお世話になり、誠にありがとうございました。

本書は、ＮＨＫ出版の髙原敦さんにご担当いただきました。いろいろ励ましていただき、心より感謝しております。編集者の小林丈洋さんにも、校正・校閲などでひとかたならぬサポートをいただきました。ありがとうございました。

本書は、「NHK100分de名著」において、2021年8月に放送された「アレクシエーヴィチ 戦争は女の顔をしていない」のテキストを底本として加筆・修正し、新たにブックス特別章「逆走する歴史」、読書案内などを収載したものです。

装丁・本文デザイン/水戸部 功・菊地信義

編集協力/丸山こずえ、小林丈洋、
新井 学、福田光一、小坂克枝

図版作成/小林惑名

地図/平凡社地図出版

本文組版/㈱ノムラ

協力/NHKエデュケーショナル

p.001「塹壕内で護身のため武器使用の訓練をしているソ連の女性と少女たち」(写真提供:ユニフォトプレス)

p.013「ユートピアの声」五部作(写真:藤田浩司)

p.041「前線で負傷した兵士を助けるソ連の女性看護師」(写真提供:ユニフォトプレス)

p.067「母なる祖国が呼んでいる」(写真提供:ユニフォトプレス)

p.099 上段=東京外国語大学で名誉博士号を授与されるアレクシエーヴィチ(写真提供:東京外国語大学)
下段=ベラルーシ民主化運動の「女三銃士」(左からツェプカロ、チハノフスカヤ、コレスニコワ)(写真提供:ユニフォトプレス)

沼野恭子　（ぬまの・きょうこ）

ロシア文学研究者、東京外国語大学名誉教授。東京外国語大学外国語学部ロシア語学科卒業後、東京大学大学院総合文化研究科比較文学比較文化 単位取得満期退学。専攻はロシアの近現代文学。主な研究テーマは現代ロシア女性文学、日露の文化関係、ロシアの食文化など。主著に『ロシア万華鏡――社会・文学・芸術』『アヴァンギャルドな女たち――ロシアの女性文化』（ともに五柳書院）、『夢のありか――「未来の後」のロシア文学』（作品社）、『ロシア文学の食卓』（ちくま文庫）など。共著に『アレクシエーヴィチとの対話――「小さき人々」の声を求めて』（岩波書店）。主な翻訳書にリュドミラ・ウリツカヤ『ソーネチカ』、『女が嘘をつくとき』（以上新潮社）、リュドミラ・ペトルシェフスカヤ『私のいた場所』（河出書房新社）、トゥルゲーネフ『初恋』（光文社新訳文庫）など。

NHK「100分 de 名著」ブックス
アレクシエーヴィチ 戦争は女の顔をしていない
～人びとの声を紡ぐ

2024年 6 月25日　第1刷発行

著者――――沼野恭子

発行者―――江口貴之

発行所―――NHK出版
〒150-0042　東京都渋谷区宇田川町10-3
電話　0570-009-321（問い合わせ）　0570-000-321（注文）
ホームページ　https://www.nhk-book.co.jp

印刷・製本―広済堂ネクスト

Printed in Japan　ISBN 978-4-14-081966-1 C0098

NHK「100分de名著」ブックス

ドラッカー マネジメント……上田惇生
孔子 論語……佐久 協
ニーチェ ツァラトゥストラ……西 研
福沢諭吉 学問のすゝめ……齋藤 孝
アラン 幸福論……合田正人
宮沢賢治 銀河鉄道の夜……ロジャー・パルバース
ブッダ 真理のことば……佐々木 閑
マキャベリ 君主論……武田 好
兼好法師 徒然草……荻野文子
新渡戸稲造 武士道……山本博文
パスカル パンセ……鹿島 茂
鴨長明 方丈記……小林一彦
フランクル 夜と霧……諸富祥彦
サン＝テグジュペリ 星の王子さま……水本弘文
般若心経……佐々木 閑
アインシュタイン 相対性理論……佐藤勝彦
夏目漱石 こころ……姜尚中
古事記……三浦佑之
松尾芭蕉 おくのほそ道……長谷川 櫂
世阿弥 風姿花伝……土屋惠一郎
万葉集……佐佐木幸綱
清少納言 枕草子……山口仲美
紫式部 源氏物語……三田村雅子
柳田国男 遠野物語……石井正己
ブッダ 最期のことば……佐々木 閑
荘子……玄侑宗久
岡倉天心 茶の本……大久保喬樹

小泉八雲 日本の面影……池田雅之
良寛詩歌集……中野東禅
ルソー エミール……西 研
内村鑑三 代表的日本人……若松英輔
アドラー 人生の意味の心理学……岸見一郎
道元 正法眼蔵……ひろさちや
石牟礼道子 苦海浄土……若松英輔
歎異抄……釈 徹宗
ユゴー ノートル＝ダム・ド・パリ……鹿島 茂
サルトル 実存主義とは何か……海老坂 武
カント 永遠平和のために……萱野稔人
ダーウィン 種の起源……長谷川眞理子
アルベール・カミュ ペスト……中条省平
バートランド・ラッセル 幸福論……小川仁志
三木 清 人生論ノート……岸見一郎
法華経……植木雅俊
宮本武蔵 五輪書……魚住孝至
維摩経……釈 徹宗
オルテガ 大衆の反逆……中島岳志
太宰治 斜陽……高橋源一郎
アンネの日記……小川洋子
シェイクスピア ハムレット……河合祥一郎
マルクス・アウレリウス 自省録……岸見一郎
カント 純粋理性批判……西 研
貞観政要……出口治明
カフカ 変身……川島 隆